SI ON S'AIMAIT

Édition : Pascale Mongeon
Design graphique : Ann-Sophie Caouette
Révision : Lise Duquette
Correction : Odile Dallasera

Catalogage avant publication de Bibliothèque et Archives nationales du Québec et Bibliothèque et Archives Canada

Titre : Si on s'aimait / Louise Sigouin, François De Falkensteen.
Noms : Sigouin, Louise, 1968- auteur. | De Falkensteen, François, auteur.
Identifiants : Canadiana 2019002495X | ISBN 9782761952606
Vedettes-matière : RVM : Amours. | RVM : Couples. | RVM : Relations entre hommes et femmes.
Classification : LCC HQ801 S54 2019 | CDD 306.7—dc23

07-20 (3)

Imprimé au Canada

Dépôt légal : 2019
Bibliothèque et Archives nationales du Québec

ISBN (version papier) 978-2-7619-5260-6
ISBN (version numérique) 978-2-7619-5261-3

DISTRIBUTEURS EXCLUSIFS :

Pour le Canada et les États-Unis :
MESSAGERIES ADP inc.*
Téléphone : 450-640-1237
Internet : www.messageries-adp.com
* filiale du Groupe Sogides inc.,
filiale de Québecor Média inc.

Pour la France et les autres pays :
INTERFORUM editis
Téléphone : 33 (0) 1 49 59 11 56/91
Service commandes France Métropolitaine
Téléphone : 33 (0) 2 38 32 71 00
Internet : www.interforum.fr
Service commandes Export – DOM-TOM
Internet : www.interforum.fr
Courriel : cdes-export@interforum.fr

Pour la Suisse :
INTERFORUM editis SUISSE
Téléphone : 41 (0) 26 460 80 60
Internet : www.interforumsuisse.ch
Courriel : office@interforumsuisse.ch
Distributeur : OLF S.A.
Commandes :
Téléphone : 41 (0) 26 467 53 33
Internet : www.olf.ch
Courriel : information@olf.ch

Pour la Belgique et le Luxembourg :
INTERFORUM BENELUX S.A.
Téléphone : 32 (0) 10 42 03 20
Internet : www.interforum.be
Courriel : info@interforum.be

Gouvernement du Québec – Programme de crédit d'impôt pour l'édition de livres – Gestion SODEC – www.sodec.gouv.qc.ca

L'Éditeur bénéficie du soutien de la Société de développement des entreprises culturelles du Québec pour son programme d'édition.

Conseil des arts du Canada | Canada Council for the Arts

Nous remercions le Conseil des arts du Canada de l'aide accordée à notre programme de publication.

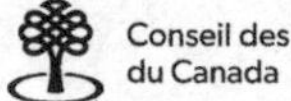

Canada

Nous reconnaissons l'aide financière du gouvernement du Canada par l'entremise du Fonds du livre du Canada pour nos activités d'édition.

LOUISE SIGOUIN

Propos recueillis par
François De Falkensteen

SI ON S'AIMAIT

L'APPROCHE SIGOUIN :
ces 5 dualités qui vont vous rapprocher

Il est à noter que le genre masculin a été utilisé partout afin d’alléger le texte.

À toutes celles et à tous ceux qui souhaitent relever
le défi d'une vie amoureuse réussie.

Apprendre à vivre en couple

INTRODUCTION

L'auteur et poète québécois Gilles Vigneault avait bien raison : il est difficile d'aimer. L'amour demande du temps et beaucoup d'attention pour s'installer vraiment et pour durer dans le temps. Les contes de fées, les vrais, commencent généralement après la dernière phrase du livre : « Et ils vécurent heureux... » Car là débute le véritable défi.

Oui, il est difficile d'aimer, mais on veut croire malgré tout que l'amour est facile, magique, et qu'il possède le pouvoir de faire de nous de meilleures personnes, de nous transformer et de nous libérer de nos travers.

Peut-être pour cette raison, des millions de personnes se retrouvent tous les jours à taquiner l'amour sur Tinder, ou autre plateforme du genre, comme on taquine le poisson, en jetant une ligne à l'eau et en se croisant les doigts pour que ça marche. On se laisse prendre au jeu sans trop se poser de questions, on se précipite vers l'autre les yeux fermés, sans trop savoir s'il nous convient, et on espère. En réalité, la plupart de nos espoirs sont, tôt ou tard, déçus.

Par ailleurs, les gens déjà en couple voient leur amour menacé tous les jours par la frénésie du monde. Les écrans, les réseaux sociaux et nos relations virtuelles occupent maintenant une grande part de nos vies. On est accaparés par le travail et les obligations, la famille, les amis, et on s'investit dans une multitude de causes et d'activités citoyennes, sportives, culturelles ou autres. Les couples finissent trop souvent par se perdre de vue, par ne plus se comprendre et, si rien n'est fait, par se laisser pour cause d'intérêts divergents et d'incompatibilité de caractère.

Dès le début de ma pratique comme sexologue, j'ai accompagné des centaines de personnes, individuellement, en couple ou en groupe, aspirant toutes à un mieux-être personnel, que ce soit pour sauver une relation chancelante, se libérer d'une souffrance après des années de consommation et de faible estime de soi, d'habitudes de vie néfastes ou d'échecs amoureux à répétition.

Il y a vingt-cinq ans, je me suis intéressée à la question de la dépendance pour rapidement constater que le phénomène n'est pas uniquement lié à l'alcool et aux drogues, mais qu'il s'étend à toute une gamme de comportements dont la pornographie, la séduction, la télévision, la cyberdépendance, les jeux vidéo, le travail, le magasinage, le sucre, la nourriture, l'argent, le pouvoir, le succès, le paraître, le perfectionnisme, les sports extrêmes ou autres... Autant de comportements susceptibles d'apporter une gratification immédiate à leurs auteurs, mais qui les éloignent de leur nature profonde et de leur monde intérieur.

J'ai vite constaté l'étendue et les subtilités des effets de la dépendance. J'ai vu à quel point le phénomène affecte profondément l'entourage, particulièrement les partenaires, qui en subissent les contrecoups : qualité de présence médiocre, perte de désir amoureux, manque d'intérêt dans le couple, etc. Très souvent, ces « victimes » se donnent quand même pour mission d'aider, voire de guérir l'autre. Ces codépendants (« co » veut dire « avec ») témoignent eux aussi d'une certaine déroute intérieure et d'une réelle souffrance par le seul fait d'accepter l'inacceptable de la part du dépendant qu'ils veulent sauver.

C'est donc à partir de mes observations, mais également grâce aux enseignements et aux influences de quelques auteures et chercheuses déterminantes dans mon cheminement que l'Approche Sigouin s'est développée. D'abord, Claire Reid, auteure, conférencière et sexologue pour qui j'ai une grande affection, a beaucoup coloré ma démarche par ses travaux sur la dépendance affective et nommément sur la dynamique du fusionnel et du solitaire en relation. Les réflexions de Colette Portelance, TRA, thérapeute en relation d'aide[MD] et auteure à succès, notamment sur les différents types d'intelligence dont sont dotés les humains et qui influencent leur façon d'aborder la vie et les relations, ont également teinté ma vision.

L'auteure et thérapeute Pia Mellody, la Dre Nathalie Campeau, cofondatrice du chapitre québécois des Dépendants Affectifs Anonymes, et l'auteure américaine Melody Beattie ont beaucoup inspiré ma réflexion à propos des phénomènes de dépendance et de codépendance chez les individus et dans la dynamique du couple. Toutes les références et notes bibliographiques sont regroupées à la fin de cet ouvrage.

L'Approche Sigouin

Mon objectif a toujours été d'accompagner mes clients vers l'autonomie affective, c'est-à-dire de développer leur capacité de répondre eux-mêmes à leurs besoins et de faire les choix de vie adaptés en conséquence.

L'Approche Sigouin est d'abord une invitation à prendre les moyens nécessaires pour se responsabiliser face à soi-même et à ses besoins. Une invitation à laisser le temps à l'amour de s'installer et le temps pour les gens de se découvrir et de s'apprécier, ou de se redécouvrir dans le cas de deux personnes que les aléas de la vie ont éloignées, bien qu'elles dorment dans le même lit tous les soirs. Une invitation à pousser plus loin la relation, à creuser plus profondément les liens et à renforcer la communication.

Tout le monde est unique, bien sûr, mais il se dégage de l'ensemble des traits communs, sortes de marqueurs qui nous définissent tous et qui définissent nos relations sociales et familiales, ainsi que nos relations amoureuses. Le constat que je fais après toutes ces années à accompagner des personnes en quête d'autonomie affective est simple : toutes nos relations humaines se bâtissent autour de cinq dualités. Découvrir où on se situe sur ces cinq axes constitue une prise de conscience utile, un point de vue intéressant pour comprendre ce qui se passe chez soi et dans son couple.

Tous ceux et celles qui ont à cœur d'améliorer leurs relations interpersonnelles, et plus particulièrement leur relation amoureuse, doivent aussi pouvoir identifier leurs besoins, prendre conscience de leurs caractéristiques et assumer ce qu'ils sont. C'est la condition première qui permet d'aller à la rencontre de l'autre, dans la plus grande ouverture. Tel est le défi, du moins.

On peut choisir de ne pas vivre en couple, de mettre de côté, ne serait-ce que pour un temps, la perspective d'une relation amoureuse et d'un engagement. Le choix est parfaitement légitime. Mais si on souhaite s'engager dans une relation significative dans une perspective à long terme, il nous faut nécessairement comprendre nos dysfonctions, sinon nos problèmes et notre difficulté à vivre en couple perdurent et nos échecs sont appelés à se répéter d'une relation à l'autre.

Choisir de vivre l'expérience du couple et de la vie à deux, c'est installer une base d'exclusivité pour explorer l'intimité et sentir le bonheur et la liberté d'être totalement soi-même en relation. C'est considérer le respect comme base primordiale à l'amour, c'est accueillir l'autre inconditionnellement et accepter de pardonner. Tout cela n'est possible qu'à travers une relation mature entre deux êtres autonomes et responsables. Choisir la vie de couple, c'est affronter à deux les difficultés de la vie, vibrer au plaisir d'être reliés et accepter d'apprendre à travers une relation d'intimité avec un autre être humain.

Il n'existe pas de solutions parfaites et universelles ; toutefois, l'Approche Sigouin propose une démarche efficace pour changer nos idées et nos émotions. Cela débute en éliminant, d'une part, la croyance que notre valeur dépend du regard que les autres portent sur nous et, d'autre part, l'illusion que, si nous le voulons vraiment, nous avons le pouvoir de changer l'autre, de guérir ses blessures et de faire son bonheur. C'est faux. Nous n'avons de pouvoir que sur nous-mêmes, à la condition de nous voir tel que nous sommes, d'accepter d'affronter nos peurs et de combler nos propres besoins.

Le jeu en vaut certainement la chandelle, car la motivation profonde, c'est l'amour. L'amour qui fait grandir, l'amour qui nous porte, l'amour qui libère tout en resserrant les liens, l'amour de soi et de l'autre. Bref, la clé du succès d'une telle démarche repose sur la bienveillance et la reconnaissance de ce que nous sommes mutuellement et surtout sur le désir de grandir dans la relation. Pour améliorer la qualité de notre vie amoureuse, le seul élément sur lequel il nous est possible d'intervenir, c'est nous-mêmes, par les efforts que nous mettons à faire tomber nos obstacles intérieurs.

La façon la plus sûre d'apprendre à vivre en couple, c'est que l'un et l'autre acceptent d'être à la fois élèves et professeurs.

Connais-toi toi-même…

CHAPITRE 1

C'est le conseil que donnait déjà Socrate de son vivant, il y a 2500 ans. Se connaître soi-même, ce n'est pas qu'un petit défi. Pourtant, il s'agit d'un passage obligé vers une vie pleinement assumée. C'est une recherche perpétuelle, une activité d'introspection et de reconnaissance de notre univers intérieur. De quoi suis-je fait ? De quoi ai-je peur ? De quoi ai-je besoin ?

Peu importe notre situation, célibataire ou en couple, avec ou sans enfant, nous avons tous la responsabilité de répondre nous-mêmes à nos propres besoins. C'est, en quelque sorte, la définition même de l'autonomie. Se connaître soi-même consiste d'abord à trouver des réponses à deux questions essentielles : Quels sont mes besoins ? Comment les combler ?

Qu'est-ce qu'un besoin ?

Tous les dictionnaires s'entendent pour dire à peu près la même chose. Un besoin, c'est une exigence, une nécessité liée à notre nature, à notre existence. C'est ce qui nous sécurise, nous garde en équilibre. Et cela peut varier d'une personne à l'autre.

Le psychologue et humaniste américain Abraham Maslow a consacré une large partie de ses travaux à définir plus précisément ce que sont nos besoins en tant qu'humains. Il répertorie cinq grands stades des besoins qui marquent notre existence. Ce qu'il est convenu d'appeler la pyramide de Maslow les décrit, du plus élémentaire au plus complexe.

5. BESOIN DE SE RÉALISER
Accomplissements personnels

4. BESOIN D'ESTIME DE SOI
Perception positive de soi
et des autres

3. BESOIN D'UNE VIE SOCIALE
Sentiment d'appartenance, d'amour,
d'amitié et d'intimité

2. BESOIN DE SÉCURITÉ ET DE PROTECTION
Environnement stable et prévisible
physiquement et émotivement

1. BESOINS PHYSIOLOGIQUES OU DE BASE
Se loger, se nourrir, boire, dormir suffisamment,
se vêtir adéquatement

Pour pouvoir atteindre le sommet de la pyramide, il faut que la base soit solide. Par exemple, pour satisfaire le besoin de sécurité et de protection (niveau 2), il faut que les besoins physiologiques (niveau 1) soient adéquatement satisfaits et ainsi de suite jusqu'aux étages supérieurs. La pyramide de Maslow peut s'appliquer au cheminement d'une vie, comme à des situations quotidiennes. Quand on n'a pas mangé, qu'on est stressé et qu'on a mal à la tête, on n'est pas disposé à entreprendre une conversation de fond avec l'autre. Ce n'est pas par mauvaise foi. Quand on a des problèmes financiers, il devient difficile de s'investir dans un projet de vie ou de création.

Et si je ne parviens pas à satisfaire mon besoin d'intimité relationnelle avec une personne de mon choix, j'aurai possiblement de la difficulté à satisfaire correctement mes besoins d'appartenance, de liberté ou d'estime.

Nos besoins changent et évoluent tout au long de notre vie et des circonstances, et la pyramide de Maslow est un bon outil d'introspection pour s'y retrouver une fois adultes. Quels besoins de base sont restés inassouvis dans notre parcours ? Il y en a, c'est certain. On les a ignorés, on a plutôt misé sur nos réalisations, mais ils demeurent latents. Nos relations en sont directement affectées. Mais alors, comment faire pour identifier ces besoins encore plus précisément ?

Dis-moi ce qui te fait peur...

Nos peurs affectent directement nos comportements. C'est un puissant moteur qui nous pousse à fuir ou c'est un frein énorme qui nous paralyse sur place. Nous avons appris à réagir en fonction de nos peurs en espérant qu'elles disparaissent d'elles-mêmes un jour, ce qui n'arrivera jamais.

Toutefois, ce qu'il faut savoir des peurs, c'est qu'elles sont toutes la manifestation d'un besoin à combler. La peur de se blesser, par exemple, révèle le besoin de se protéger. La personne qui a peur du rejet devra d'abord reconnaître cette peur pour identifier le besoin de reconnaissance qui se cache derrière.

Plutôt que de se laisser envahir par la peur, de fuir ou de paralyser, le geste qui s'impose est de prendre les moyens de la comprendre et de voir ce qui s'y cache. C'est un acte qui peut se révéler difficile, car les réponses viennent parfois lentement, mais c'est une information précieuse.

LA PEUR...	CACHE LE BESOIN...
du rejet	de reconnaissance
de l'abandon	de sécurité affective
d'être envahi	de liberté
d'être trahi	de respect
de ne pas être à la hauteur	de fierté

L'autonomie affective, ça s'apprend

Atteindre l'autonomie affective et s'affranchir de la peur est un projet grandiose qui doit constamment être revu et ajusté, car nos besoins changent en cours de route. Comment se définit une personne affranchie de sa dépendance affective ?

Tout d'abord, « l'affranchi » affectif comprend qu'il est le seul responsable de son propre bonheur. Il accepte ses imperfections et ses erreurs, mais il sait bien qu'il n'est pas la somme de ses faiblesses et que sa valeur d'être humain ne réside pas dans ce qu'il fait, mais dans ce qu'il est. Il choisit de se responsabiliser émotivement en relation et surtout d'être en apprentissage continu. Dans nos relations amicales, avec la famille et encore plus au sein de notre couple, nous sommes les meilleurs professeurs les uns des autres.

Vivant dans le désir d'approfondir ses relations humaines, l'affranchi est libéré de l'insécurité ou de la culpabilité, ouvert à ce que la vie lui propose, sans s'accrocher aux blessures, aux déceptions ni aux coups durs qu'elle lui réserve inévitablement. En acceptant tout simplement les réalités sur lesquelles il n'a aucun pouvoir, comme la vie des autres ou son propre passé, il fait le choix de vivre dans le présent. Ainsi, il mobilise plus aisément ses énergies pour changer ce qui peut l'être et améliorer durablement sa vie.

L'affranchi est conscient d'être le principal générateur des idées et des émotions qui peuplent son monde intérieur. Conscient que son regard sur le passé est souvent teinté d'idées irréalistes, fausses ou tronquées à propos de ses actions et de ses erreurs, il évite d'entretenir les émotions négatives et déprimantes que ces idées lui inspirent et qui risquent de lui empoisonner la vie.

Le couple est un laboratoire humain formidable, où l'on peut non seulement prendre le risque de se révéler à soi-même et à l'autre, mais aussi d'affronter ses peurs afin de les comprendre et de les maîtriser, tout cela à condition bien sûr de s'ouvrir à l'expérience avec le désir d'accéder à plus d'autonomie affective.

L'amour nous place en situation de vulnérabilité et, forcément, nous oblige à faire face à certaines peurs et insécurités. Déjà, à l'étape de la séduction, on s'expose à l'autre et à son jugement.

Le jeu de la séduction

L'un des besoins les plus largement partagés est celui de plaire. La séduction est le jeu grâce auquel on peut satisfaire ce besoin. C'est par elle que les premières étincelles fusent et que la flamme d'une possible relation à plus long terme s'allume. Et cela ne concerne pas que les débuts de relation. Même après des années, le couple durable peut parvenir à se re-séduire. Absolument rien n'interdit de refaire connaissance, au contraire. Savoir être ensemble dépend beaucoup de nos efforts à se souvenir de qui l'on est et de ce qui nous avait tant plu chez l'autre, au point de vouloir partager notre vie avec lui… (J'y reviendrai un peu plus loin.)

Mais attardons-nous pour l'instant au contexte des premières rencontres, là où le jeu est particulièrement risqué. On s'expose à l'autre, on s'avance sans savoir comment on sera reçu. Comme tous les jeux à risque, il importe donc d'en connaître les règles.

Les circonstances sont propres à chaque rencontre, mais *grosso modo* le jeu de la séduction entre deux personnes comporte sensiblement les mêmes étapes.

La première phase de la séduction passe par le regard. On s'aperçoit l'un et l'autre de loin ou on est présentés par quelqu'un. Nos regards se croisent, se soutiennent juste un peu plus que nécessaire, on fait semblant de rien, on regarde ailleurs, mais on revient et on surprend le regard de l'autre, qui le détourne aussitôt, mais qui nous surprend à son tour dix secondes plus tard.

Vient alors le sourire. En offrant son plus beau sourire, on vient confirmer le contact. Bien sûr qu'il y a un certain inconfort dans ce jeu, car on s'expose directement, on ose.

Le fait d'ouvrir son jeu et d'exprimer son intérêt à une personne rencontrée au hasard ou qui nous est présentée est une expérience exigeante. On se rend vulnérable, on a peur de s'humilier.

C'est cette peur qui fait le succès des Tinder et autres applications du monde entier, qui nous promettent de nous faciliter la tâche pour rencontrer l'âme sœur. En utilisant ces plateformes, on n'a plus à « risquer » un premier regard et un premier sourire. Les critères qu'on présente sont plutôt superficiels et réfléchis, et surtout ils nous évitent les malaises d'une rencontre en direct. On n'a qu'à publier une photo avantageuse de soi-même, soigneusement choisie, et un texte élogieux, peut-être écrit par quelqu'un d'autre.

Dès le départ, le jeu de la séduction s'en trouve un peu biaisé. Nous perdons les étapes du regard et du sourire où ressentir l'inconfort se mêle à des sensations de fébrilité et de légère euphorie, généralement perçues comme très agréables lorsque les choses se passent bien.

La troisième phase du jeu consiste à créer une interaction verbale. Maintenant que les deux premières étapes nous ont permis de créer une ouverture, il est possible d'envisager de se rapprocher et d'échanger quelques paroles. À cette étape-ci, le piège est de trop réfléchir en cherchant LA phrase intelligente à dire, celle qui fera à coup sûr succomber l'autre, le mot d'esprit qui va nous mettre en valeur tout de suite.

Au fond, ce que nous disons à cette étape n'a pas vraiment d'importance, car le but est seulement de créer un contact verbal. N'importe quel sujet qui nous tombe sous la main : l'ami commun, le prix du brocoli, l'hiver trop long... N'importe quoi pour se parler, car, à ce stade-ci, il ne s'agit pas encore d'une vraie conversation. On se parle simplement pour pouvoir mieux ancrer ce premier contact et signifier notre intérêt.

C'est à ce moment, après un laps de temps très variable selon les individus, que l'on passe à la quatrième phase, celle du toucher, mais plus précisément celle de l'effleurement, puisque le toucher à cette étape-ci pourrait être vécu comme intrusif. Les corps se rapprochent, se présentent dans une certaine ouverture et sont disponibles l'un à l'autre. À table, deux genoux qui se touchent peuvent déclencher toute une série de réactions. Ce contact permet de sentir l'énergie sexuelle émerger, même si à ce stade, il n'y a rien d'engagé ou de physiquement « investi ». L'énergie et les vibrations entre les deux sont réelles, le désir s'installe et la chimie opère rapidement.

Le retour à soi

Après la première rencontre, c'est le moment idéal pour faire un retour à soi, ce que les gens ne font généralement pas. Ils s'abordent, s'embrassent et, bien souvent, vont coucher ensemble le premier soir.

Pratiquer l'abstinence, au moins le premier soir, permet de prendre le recul nécessaire afin d'évaluer son intérêt pour les multiples facettes de la personnalité de l'autre, pour revoir comment s'est déroulée la soirée et comprendre ce que l'on a vécu. Si ma nouvelle flamme a été bête avec la serveuse, mais que la soirée s'est poursuivie, qu'on s'est embrassés, qu'on a fait l'amour et que c'était bon, je ne repenserai pas à l'épisode de la serveuse et ma prise de conscience du fait qu'il est parfois désagréable avec les gens sera repoussée à plus tard. Grâce au retour à soi, je peux revenir sur ces moments de la soirée.

Bien sûr, l'idée du retour à soi n'est pas trop dans l'air du temps, mais c'est une façon de remettre un peu de lenteur dans le jeu de la séduction, très peu compatible avec la précipitation et l'instantanéité, quoi qu'on veuille se faire croire.

L'accessibilité à la sexualité est tellement facilitée par les applications et sites de rencontre, que l'on peut, si l'on veut, faire l'amour tous les jours avec des partenaires différents, mais sans jamais être nourri du côté relationnel. L'idée est de revenir vers des modes de séduction plus satisfaisants, tant aux points de vue affectif et intellectuel que sexuel.

De la séduction à la sexualité

Comme nous l'avons vu, dans la plupart des cas, les choses vont très vite une fois arrivée l'étape du toucher, le scénario le plus commun voulant que l'on couche ensemble le soir même.

L'auteur Terence T. Gorski établit une nette différence entre les débuts d'une relation fonctionnelle, ou saine, et ceux d'une relation dysfonctionnelle.

On s'engage dans une relation dysfonctionnelle souvent à la recherche de la gratification instantanée (d'où l'envie de coucher avec une personne dès la première rencontre). Dans ce type de relation, le rapport est immédiatement marqué par des confidences beaucoup trop intimes pour un début de relation.

Pour s'assurer d'établir une relation saine, il est souhaitable de se révéler graduellement et d'éviter ces confidences trop intimes. C'est en prenant le temps qu'on peut se faire une opinion éclairée sur la relation. Comme le suggère Gorski, je recommande d'attendre de six à dix rencontres, le temps de décider vraiment si on veut une relation sérieuse avec la personne avant de passer à la sexualité.

Gorski nous suggère même d'éviter les coups de foudre qui faussent la réalité. Une relation amoureuse ne nécessite pas un début passionnel. Il faut prendre le temps de découvrir peu à peu la personne à qui l'on a affaire, ce qui est impossible si l'on s'engage trop rapidement dans l'intensité d'une relation passionnée et torride. L'amitié devrait être la base d'une relation amoureuse.

La relation dysfonctionnelle est basée sur des attentes irréalistes. Les personnes impliquées espèrent souvent que la relation les transformera comme par magie et qu'elles deviendront meilleures, ce qui n'est absolument jamais le cas, à long terme du moins.

Gorski insiste sur le fait que, souvent, la dysfonction amoureuse, ou la dépendance affective, s'exprime par des phrases anodines que l'on entend partout, comme ces gens qui disent chercher quelqu'un à aimer ou qui affirment tout simplement chercher l'amour. Les personnes affranchies de la dépendance affective ne sont pas obsédées par le désir de trouver un être à aimer ; elles sont plutôt animées par le désir de devenir quelqu'un de spécial à être aimé ; « Si vous passez votre temps à chercher quelqu'un, vous n'avez pas de temps pour vous améliorer. Vous devez avoir l'esprit ouvert au changement[1]. »

1. Terence T. Gorski, auteur et sociologue américain expert en problèmes de dépendance. Extraits de sa conférence sur les relations de dépendance.

Quelques définitions[2]

Coup de foudre

Apparition subite d'un violent sentiment amoureux, engouement soudain et vif pour quelqu'un.

Passion

Tendance d'origine affective qui en arrive à dominer toute la vie morale et intellectuelle du sujet. Mouvement violent et impétueux de l'être vers ce qu'il désire. Émotion puissante et continue qui domine la raison. Inclinaison très vive pour quelqu'un ou quelque chose.

Tendresse

Sentiment d'affection ou d'amour empreint de douceur et de délicatesse, qui se manifeste par des paroles, des gestes doux et des attentions délicates.

Amitié

Attachement réciproque et durable de deux personnes qui naît de la convenance entre leurs caractères, leurs goûts, leurs préoccupations, sans qu'intervienne les liens de famille ni l'instinct sexuel.

Amitié amoureuse

Tendresse particulière, parfois sexuelle, qui intervient quelquefois dans l'amitié.

Amour

Vive affection, fortement mêlée d'attrait sexuel, qui attache une personne à l'autre. Sentiment très intense, englobant la tendresse et l'attirance physique entre deux personnes. Créer une union, faire un avec l'autre et s'inspirer grâce à ses différences.

2. Extraits et inspiration : Document « Chercher l'équilibre entre la passion folle et la tendresse infinie : un défi pour la personne dépendante affective » par Danielle Champagne, formatrice, Université de Sherbrooke.

Pourquoi prendre le temps ?

Grâce aux travaux du mouvement des Dépendants Affectifs Anonymes[3], on a pu déterminer que l'attrait qui s'exerce entre deux personnes souhaitant s'engager dans une relation à long terme repose sur l'attirance physique mutuelle, bien sûr, mais également sur des attraits émotifs et intellectuels qui, eux, se révèlent plus lentement et se découvrent au fil des événements et des circonstances.

J'ai suivi un client au passé affectif tumultueux, qui accumulait les échecs amoureux au point de vouloir renoncer à vivre en couple. Son *pattern* l'amenait toujours vers des personnes pour qui il avait une forte attirance physique et avec qui il faisait l'amour rapidement sans voir plus profondément chez l'autre ce qui pouvait l'attirer. Les choses n'allaient généralement pas beaucoup plus loin, car il avait du mal à voir, chez ses partenaires, d'autres formes d'attraits.

Un jour, il s'est donné la peine de reporter à plus tard le premier contact physique pour se donner le temps d'explorer plus avant ce que l'autre avait à offrir, tout en tentant de définir ce qu'il souhaitait vivre en amour et les qualités qu'il recherchait. Il a fini par rencontrer une femme un peu différente de celles qu'il choisissait d'habitude. En laissant le temps agir, il s'est laissé toucher tant émotivement qu'intellectuellement par cette personne. Physiquement, il a aussi dû revoir ses croyances sur lui-même, car l'attirance physique ne s'est pas manifestée de la même façon ni au détriment de tout le reste.

Quand on laisse au temps la possibilité de faire son œuvre, on emprunte peut-être un chemin différent de nos habitudes. On poursuit le jeu de la séduction, mais on n'est pas animé de la même flamme. On découvre tout le potentiel de la relation, et bien au-delà de la seule considération de l'attrait physique. Et si, au fil des rencontres, on ne ressent pas d'intérêt amoureux ou que l'attirance que l'on éprouve est purement intellectuelle, on peut plus facilement se retirer du jeu. On peut établir une connexion très étroite avec une personne, mais ne pas avoir envie d'un contact

3. Notions inspirées du document nº 5 « Qu'est-ce qu'aimer ? » des Dépendants Affectifs Anonymes (DAA).

physique avec elle. C'est fantastique, les belles qualités du cœur et de l'esprit, mais si le corps nous laisse indifférent, on n'est pas beaucoup plus avancé.

Certains doivent absolument ressentir d'abord un attrait physique pour la personne, le reste étant très secondaire. D'autres accordent peu d'importance à l'aspect physique et recherchent des qualités humaines. Tout est justifiable, tout est correct, la seule chose qui compte est de savoir où on se situe, quelle importance on accorde au besoin d'être stimulé intellectuellement, émotivement et physiquement et, pour cela, il faut s'accorder un certain temps, pendant lequel l'abstinence facilite la réflexion.

Dès les premières rencontres, on perçoit certaines qualités chez l'autre : sa gentillesse, sa douceur ou son humour, mais c'est au fil des rencontres suivantes que l'on peut mieux apprécier sa personnalité : sa générosité, sa bienveillance, sa patience, la qualité de sa présence, autant d'aspects qu'on ne découvre qu'après un certain temps et qu'on doit essayer de nommer. Qu'est-ce qui me séduit ? Qu'est-ce qui m'attire chez cette personne ? Ce genre de retour n'est possible que si on se laisse le temps de découvrir l'autre sans s'empêtrer dans ses seules exigences physiques ou sexuelles.

On ne procède plus dans ses relations à cette retenue qui nous invitait à nous fréquenter d'abord, à prendre le temps de se courtiser, de se fréquenter et d'apprendre à se connaître. On aurait avantage à se donner du temps pour ressentir, pour observer, pour se permettre d'être choisi et de bien choisir la personne avec qui on veut former un couple, même si ce n'est que pour un moment.

Prendre le temps de connaître l'autre contribue essentiellement à nourrir l'énergie d'attraction et l'énergie sexuelle qui, au fil des rencontres, nous poussent toujours un peu plus l'un vers l'autre. Si l'attrait sexuel est là dès le début, il continuera à s'éveiller par l'intérêt réciproque. La rencontre sexuelle qui ne manquera pas d'avoir lieu après cette période de retenue n'en sera que plus intense, et nous ne serons que plus présents et disposés à la vivre.

D'où l'importance de se donner la chance, de part et d'autre, de se découvrir un peu plus à chaque rencontre. Si l'intérêt de l'un ou de l'autre n'est que sexuel, on le saura assez tôt. On pourra vivre l'expérience de « l'amitié santé » pour un temps si l'on veut, mais en toute connaissance de cause et sans nourrir de faux espoirs.

La vie de couple, formidable laboratoire

Après six mois, un an ou plus de relation, la vie fait son œuvre et, même si l'extase du début s'est estompée, les attraits qui nous ont d'abord séduits chez l'autre sont toujours présents. On continue d'être stimulés par son intelligence et ses qualités de cœur, et l'intimité sexuelle qui s'est installée n'a pas cessé d'évoluer.

Bien qu'il s'agisse de la première d'une série d'étapes qui mènent à la vie à deux, la séduction est aussi une réalité et une nécessité chez les couples établis. Quand nous sommes engagés dans une relation ou que nous avons choisi l'exclusivité, la séduction nous permet de maintenir l'intensité amoureuse. Autrement dit, on ne doit jamais cesser de chercher à séduire l'autre, surtout après des années de vie commune.

Même le regard que l'on porte l'un sur l'autre dans un couple durable est toujours aussi important et doit être sans cesse renouvelé. Aux couples formés depuis plusieurs années, qui se connaissent dans le quotidien, sous tous leurs angles et dans tous leurs états, je conseille de profiter des occasions sociales, lors de soirées ou de rencontres entre amis, pour prendre une petite distance l'un face à l'autre. Je les invite à s'observer dans un groupe, à se regarder évoluer, interagir avec les autres, parler, bouger, un peu comme on le fait lors de premières rencontres, afin de retrouver ce petit quelque chose qui nous a séduits au départ et que l'on a tendance à perdre un peu de vue dans la vie de tous les jours. Croiser le regard et sentir le courant passer, comme la première fois, réveiller la fébrilité par un sourire invitant…

De la même façon, l'interaction verbale est toujours essentielle pour séduire l'autre, même après des années de vie commune. Le contact verbal sera sans doute moins superficiel que la première fois, car on est plus en mesure de se complimenter, de s'inviter, de verbaliser notre désir, mais on cultive encore l'art de l'effleurement et de la caresse furtive. Bref, il s'agit d'insuffler une dose d'intensité dans la relation, de se rejouer le grand jeu de la séduction et de s'y laisser prendre à nouveau.

Ici, les trois dimensions essentielles de la personne – la tête, le cœur et le corps – sont mises à contribution pour nourrir l'attrait. Si ces trois aspects sont présents, la relation sera possiblement plus nourrissante. C'est au-delà du simple désir physique, au-delà de l'émotivité ou de l'intelligence, mais en même temps, c'est tout ça ensemble. Le résultat est plus grand que la somme des parties. Nous sommes dans la phase de l'amour durable.

Les cinq dualités

Le plus important défi des couples actuels qui s'engagent sur le chemin de l'autonomie affective est de comprendre leur fonctionnement et leur dynamique, d'identifier les sources de conflits qui les guettent et d'en parler franchement (en évitant la confrontation) pour trouver une façon de les surmonter.

Il est souvent difficile de résister à la tendance du prêt-à-jeter, du remplaçable et de l'interchangeable. Nous devons reconnaître que nous nous sommes perdus dans le rythme accéléré de notre quotidien. Comment accepter la différence, le fait que l'autre remette en question nos valeurs, nos besoins, nos croyances ?

En relation, LA règle première est celle du respect de la différence chez l'autre. Il est impératif de tenter de comprendre l'autre tel qu'il est. Il est tentant de vouloir le convaincre que notre façon d'être ou de faire est meilleure. L'important est de se rappeler que, si nous arrivons au même résultat, la façon d'y parvenir importe peu.

Les gens cherchent naturellement à s'associer avec des personnes qui partagent les mêmes valeurs, les mêmes intérêts, les mêmes aspirations. Malgré ces points communs subsisteront toujours des différences qui marqueront la dynamique relationnelle sûrement autant que les ressemblances. Ce sont les dualités, c'est-à-dire des traits de caractère qui définissent l'essence d'une personne par opposition à ceux qui prédominent chez l'autre. À la lumière de mon expérience, je constate que les dualités sont présentes dans tous les couples, dans toutes nos relations humaines, familiales, amicales ou professionnelles et à différents degrés.

Dans le couple, chaque dualité s'exprime et prend forme dans un domaine particulier du rapport à l'autre. Il importe de dire que ce sont des repères. Ces traits apparemment contradictoires peuvent aussi bien s'opposer que se compléter et toutes les dualités ne sont pas forcément problématiques.

J'identifie cinq dualités qui me semblent déterminantes et qui sont présentes chez tous les couples avec qui j'ai travaillé.

1. Dépendant-codépendant

Cette première dualité est la plus importante et aucun couple n'y échappe. Elle met face à face deux attitudes à l'égard de la vie, parmi lesquelles nous choisissons de nous ranger et que nous adoptons parfois très jeunes : la dépendance et la codépendance.

Le dépendant est d'abord et avant tout centré sur ses propres besoins et peu conscient de ceux de l'autre ou des autres. Et quand il semble s'en préoccuper, c'est toujours en fonction de ses désirs à lui et de ses intérêts personnels. Selon qu'il soit plutôt de nature joviale ou renfrognée, il peut aussi bien s'écrier « Wow ! Quel beau défi ! » que « Ouf ! Ça ne sera pas facile ! » devant une tâche à accomplir. Il exprime très clairement ses besoins et, s'il semble en pleine maîtrise de sa vie et de son destin, il s'agit souvent d'un être vulnérable vivant beaucoup d'insécurité.

Son défi en relation est de se soucier des besoins réels de l'autre.

Le codépendant fonctionne exactement à l'inverse et se préoccupe davantage des besoins de l'autre que des siens. On l'entend souvent dire « Y a pas de problème ! Ça me fait plaisir ! », mais quand vient le temps de s'occuper de ses propres besoins, le sentiment principal qui l'habite est la culpabilité. Pour lui, prioriser sa propre personne se fait inévitablement au détriment de l'autre. Il a beaucoup de mal à exprimer ses besoins et surtout à faire respecter ses limites.

Son défi est de se responsabiliser face à ses besoins et à ses limites, malgré la peur de la réaction de l'autre et sa grande culpabilité.

LE DÉPENDANT

Je prendrais bien un café, moi.

LE CODÉPENDANT

Oui, je te fais ça. Avec du sucre ? Mais non ! Qu'est-ce que je dis là ? Ton diabète ! As-tu vu ton médecin dernièrement ? J'ai une amie qui a le même problème. Elle fait partie d'un groupe qui teste un nouveau traitement. Si tu veux, je peux lui demander l'information. Ça pourrait peut-être t'aider... Veux-tu de la crème dans ton café ? As-tu besoin d'autre chose ? As-tu froid ? As-tu chaud ? Je peux ajuster le chauffage, ça ne me dérange pas...

Cette dualité fera l'objet du chapitre 2.

2. Fusionnel-solitaire

Cette dualité[4] pose le défi de trouver l'équilibre entre les besoins individuels et les besoins du couple. Le fusionnel parle au « nous », alors que le solitaire parle au « je ».

Sur le plan amoureux, le fusionnel est difficilement rassasié tant son besoin de passer du temps de qualité avec l'autre est prenant. Sa relation amoureuse nourrit largement le sens qu'il donne à sa vie. Le fusionnel a tendance à négliger les autres sphères de son existence pour favoriser sa relation. C'est grâce à lui si l'intimité est préservée dans le couple. Pas de fusionnel, pas de relation amoureuse engagée.

Son défi est de se réaliser personnellement en dehors de la relation, pour s'épanouir à son plein potentiel.

4. Notions inspirées du livre de Claire Reid, *Êtes-vous fusionnel ou solitaire ? Le nouveau couple,* Louise Courteau, 2009.

Le solitaire, qui a du mal à s'abandonner et qui entre difficilement en contact avec son monde intérieur, est fortement attiré par le fusionnel qui exprime librement ses émotions. Toutefois, il se sent vite envahi. Le solitaire a besoin d'espace pour s'épanouir aussi dans d'autres domaines de sa vie et pour mieux revenir à l'intimité amoureuse.

Son défi est de s'ouvrir à son monde intérieur et de prendre conscience de sa vulnérabilité. Le solitaire est souvent une petite bête blessée, qui doit apprendre à exprimer sa peine ou sa peur sans craindre de perdre le contrôle ; simplement s'abandonner à l'émotion.

LE FUSIONNEL

On n'a jamais de temps ensemble !

LE SOLITAIRE

Je n'ai jamais de temps pour moi !

Cette dualité fera l'objet du chapitre 3.

3. Rationnel-émotif

Le défi des rationnels et des émotifs[5] a trait à la communication. Ils devront trouver un mode d'échange qui leur convient à tous les deux, alors que, au départ, ils ne parlent pas le même langage. Il en va de tout le reste, car un couple qui communique mal est en péril.

Le rationnel a besoin de mots et d'explications satisfaisantes pour comprendre dans quoi il s'engage avant de s'abandonner à la relation ou à toute autre expérience qui lui est proposée. Il aime bien se réconforter par des faits, des études et des statistiques. Il réfléchit à haute voix, pose beaucoup de questions et cherche à expliquer ce qui lui arrive. Cela le distrait de son monde émotif et l'empêche de ressentir les choses en profondeur. En situation

5. Notions inspirées du livre de Colette Portelance, *Relation d'aide et amour de soi*, Éditions du Cram, 2008.

difficile de discussion ou de confrontation, il manque d'écoute et d'empathie face à l'autre.

Son défi est de se taire et de laisser l'émotion, la sienne propre et celle de l'autre, s'exprimer.

Pour sa part, l'émotif aborde le monde et la vie par le biais des émotions, positives ou négatives, qui surgissent en lui et déterminent ses états d'âme. L'émotif est un être de peu de mots qui peine à nommer ce qu'il ressent, mais qui voudrait quand même être compris. Contrairement au rationnel, il a besoin de ressentir à fond ce qui se passe en lui pour comprendre ce qui lui arrive et réagir en conséquence.

Son défi est d'exprimer en mots ce qui lui semble évident émotivement.

Dans un moment intense :

LE RATIONNEL

Parle ! Dis quelque chose ! Pourquoi tu pleures ?

L'ÉMOTIF

Qu'est-ce que tu veux que je te dise ? !
J'ai de la peine ! Comprends donc !

Cette dualité fera l'objet du chapitre 4.

4. Actif-rêveur

La difficulté principale que pose la dualité actif-rêveur[6] concerne l'intimité amoureuse et sexuelle du couple. Les partenaires doivent trouver l'équilibre entre, d'une part, les tâches perpétuelles et envahissantes qu'impose l'organisation de la vie et, d'autre part, le petit nuage blanc de l'amour, le tête-à-tête, les bisous et les caresses.

6. Notions inspirées des documents n° 4, « La dépendance affective », et n° 5, « Qu'est-ce qu'aimer ? », des Dépendants Affectifs Anonymes, (DAA).

Dans le quotidien, l'actif a besoin d'accomplir ce qui doit être fait pour trouver un sens à sa vie ; il met énormément de temps à abattre des tâches. Tant et aussi longtemps que tout, tout, tout n'est pas terminé, il a du mal à s'abandonner au plaisir ou à la détente. Son goût pour l'action s'exprime souvent au détriment de la relation.

Son défi est d'accepter de prioriser sa relation pour offrir une réelle disponibilité intérieure à l'autre.

Le rêveur est rempli d'attentes inexprimées. Il a besoin pour être comblé de se plonger dans l'intimité relationnelle, d'entretenir la passion originelle dans son couple et de tendre à réaliser ses rêves de vie. Tout cela l'éloigne parfois des réalités de l'existence et des contraintes et exigences quotidiennes de la vie.

Son défi est de continuer à entraîner la relation vers une réelle communion remplie de tendresse, en exprimant clairement ses besoins d'intimité amoureuse et sexuelle.

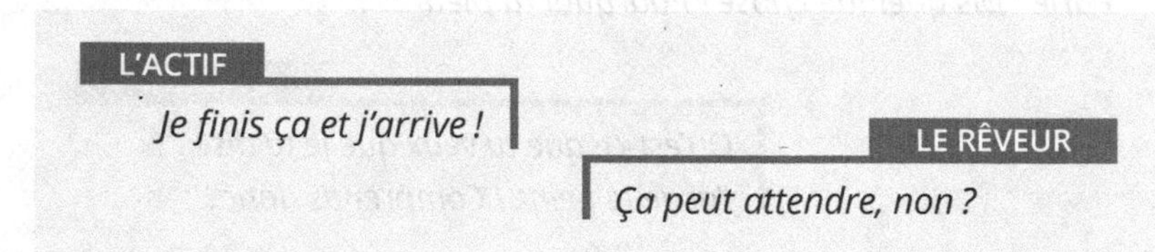

Cette dualité fera l'objet du chapitre 5.

5. Vite-lent

Le défi du couple vite-lent en est un de rythme dans l'exécution des tâches, entre autres.

Le vite, comme son nom l'indique, bouge vite, parle vite – parfois trop – et comprend vite – parfois mal, mais il est organisé. Faire le lavage, par exemple, ne comporte que quatre étapes faciles à respecter : laver, sécher, plier et ranger. C'est rapide, efficace et ça laisse du temps pour faire plein d'autres choses.

Son défi est de ralentir le rythme pour profiter de la relation.

Le lent, lui, prend le temps de réfléchir – parfois trop –, mais il se sent facilement bousculé par les aléas de la vie qui va trop vite pour lui. Pour le lent, faire le lavage comporte un nombre très variable d'étapes : laver, oublier la brassée, s'en souvenir tout à coup, transférer le linge dans la sécheuse, l'oublier, s'en souvenir, transférer les vêtements dans un panier qui peut demeurer sur une chaise un petit bout de temps, avant d'être finalement plié, mais pas nécessairement rangé.

Son défi est d'accélérer un peu le rythme, de mieux s'organiser et peut-être aussi d'être un peu plus à son affaire.

LE VITE

Dépêche-toi, on va être en retard !

LE LENT

Arrête de me pousser dans le dos, je fais déjà aussi vite que je peux !

L'art de respecter les différences de l'autre, c'est l'art de trouver le mi-chemin entre une façon linéaire et une façon circulaire de faire les choses. Le lent comme le vite ont intérêt à trouver ensemble leur rythme pour pouvoir bénéficier d'une vie organisée et efficace, tout en prenant le temps d'être disponibles et touchés intérieurement par la vie à deux.

Cette dualité fera l'objet du chapitre 6.

Au-delà des différences

Il est important de dire qu'un profil personnel dressé à partir des cinq dualités fournit d'excellents repères pour se comprendre soi-même ou comprendre l'autre, mais ne peut jamais être considéré comme une vérité immuable. La place que l'on occupe sur l'axe d'une dualité est variable et influencée par plusieurs facteurs qui peuvent changer selon les circonstances, l'âge, l'expérience ou même le profil de l'autre. Un vite qui rencontre plus vite que lui deviendra le lent, mais la différence ne sera peut-être pas marquée au point de poser problème. Comment alors être heureux en couple quand, pour certaines dualités, tout semble nous éloigner ?

En fait, le premier pas à franchir est d'ouvrir nos esprits et d'accepter la différence chez l'autre. Force est de constater que, malgré nos divergences de points de vue, d'opinions et de jugements, l'autre n'est pas moins aimable, adéquat, efficace et amoureux. C'est uniquement une façon différente de négocier avec la vie en général.

Si on accepte d'admettre que les façons de faire peuvent varier, on a beaucoup à apprendre et à partager. Si, par contre, on se braque en refusant de confronter nos points de vue, il y a peu de chances qu'on puisse expérimenter la puissance des dualités, qui est le résultat de la mise en action de nos forces mutuelles.

Abandonner, baisser les bras face à une relation où l'amour est présent, mais où tout le reste semble incompatible risque de nous entraîner vers d'autres relations et d'autres sentiers comportant sensiblement les mêmes obstacles. D'ailleurs, si on fait un tant soit peu d'introspection, on se rend parfois compte que – tiens, tiens, quel hasard – on se retrouve toujours avec des partenaires qui nous posent le même genre de difficultés.

Lorsque nous comprenons que nous sommes vraiment les meilleurs professeurs l'un de l'autre et que la faiblesse de l'un est la force de l'autre, et vice-versa, nous abordons ces dualités non pas seulement comme des oppositions, mais aussi des compléments et, de là, tout devient possible.

Tout au long de cet ouvrage, nous aborderons ces cinq grandes dualités, les besoins qu'ils sous-tendent et les défis (la plupart du temps surmontables) qu'elles représentent pour les couples.

L'art de respecter
les différences de l'autre,
c'est l'art de trouver
le mi-chemin entre
une façon linéaire
et une façon circulaire
de faire les choses.

Dépendant et codépendant

CHAPITRE 2

Devant les aléas de la vie, les menaces, les dangers, réels ou imaginaires, quelle attitude adopter : fuir ou agir ? La question se pose depuis la nuit des temps et divise encore le monde en deux : les dépendants et les codépendants.

La dépendance et la codépendance sont, en effet, les deux faces d'une même médaille, celle de la dépendance affective, qui trouve racine dans un système familial dysfonctionnel. Face aux dysfonctions familiales, l'enfant, même très jeune, adoptera une « stratégie de survie » qui en fera un dépendant ou un codépendant. Comme toutes les familles comportent leurs « dysfonctions » jusqu'à un certain point, nous en sommes tous venus un jour à adopter le mode de fonctionnement du dépendant ou du codépendant.

Le dépendant cherchera à l'extérieur de lui-même des façons de fuir le malaise et l'insécurité causés par les ratés de son milieu de vie. Quant au codépendant, il tentera plutôt de combler les lacunes au sein de la famille. Pour éviter le sentiment de culpabilité qui le ronge dès qu'il s'occupe de ses propres besoins, il favorisera le bien-être de l'autre ou des autres au détriment du sien.

Les impacts de la dépendance et de la codépendance sur la vie des individus sont les mêmes : ils se débranchent de leur monde intérieur, l'un par la fuite et l'autre par l'oubli de soi.

Les modes de survie relationnelle

Le dépendant
- Centré sur ses propres besoins.
- Exprime aisément ses malaises et ses insatisfactions.
- Attend que l'autre prenne soin de ses besoins non comblés.
- A besoin de se sécuriser à travers le regard de l'autre.
- A besoin de la reconnaissance des autres pour se sentir légitime d'exister.

Le codépendant
- Centré sur les besoins de l'autre ou des autres.
- Exprime mal ses insatisfactions et sa colère.
- Connaît très mal ses propres besoins ou les minimise.
- Se sent coupable de s'occuper de lui-même au détriment des autres.
- A besoin de s'occuper de quelqu'un pour se sentir exister.

La famille imparfaite

La dépendance affective apparaît dans ce que le psychothérapeute et auteur américain John Bradshaw[7] appelle « famille dysfonctionnelle ».

Il n'y a pas que l'inceste, la violence ou de grands drames pour ressentir l'impact d'un système familial inadéquat. La plupart des familles dysfonctionnelles sont le fait de parents aimants, mais

7. Notions inspirées des ouvrages de John Bradshaw : *La famille : comprendre les liens qui nous unissent,* J'ai lu, 2010, et *Retrouver l'enfant en soi,* Éditions de l'Homme, n. éd. 2013.

imparfaits et aux prises avec leurs problèmes, leurs blessures, leurs forces et leurs faiblesses, un parent absent ou parfois incapable de répondre à certains besoins de ses enfants. C'est dans ces familles, plus ou moins carencées, c'est-à-dire imparfaites, que naît la dysfonction.

Exemples de circonstances qui entraînent des dysfonctions au sein des familles

- Un parent exigeant, mais rarement satisfait.
- Un parent épuisé, malade ou déprimé.
- Le divorce et ses complications.
- Le décès d'un membre de la famille.
- Les deuils incomplets et l'omniprésence d'une personne décédée.
- Les tabous comme le suicide, la sexualité, l'argent...
- Un frère ou une sœur qui demande beaucoup d'attention comme la maladie, l'hyperactivité, le trouble de comportement ou d'apprentissage, etc.
- Un parent absent, silencieux, colérique.
- Un parent ultra sévère ou trop permissif.
- L'omniprésence de la religion ou autre fanatisme autour d'un mode de vie quelconque.
- Un parent alcoolique, toxicomane ou travailleur compulsif.
- Etc.

Les trois caractéristiques des familles dysfonctionnelles

John Bradshaw, auteur du célèbre livre *Retrouver l'enfant en soi*, définit les trois règles qui règnent au sein de ces familles et qui ont plus ou moins d'impact.

1) On ne se parle pas vraiment

On n'exprime pas comment on se sent et on ne s'écoute pas. La vie familiale apparemment harmonieuse est souvent marquée par des secrets et du déni.

On ne se parle pas des vraies affaires...

- Pour éviter les sujets litigieux.
- Par peur du jugement et de l'exclusion.
- Pour éviter de peiner, de choquer, de décevoir.
- Pour ne pas raviver la tristesse, le ressentiment, la jalousie.
- Pour maintenir la « paix ».
- Pour protéger quelqu'un ou un secret.
- Par crainte d'être mal interprété.
- Etc.

2) On ne ressent rien

Dans une famille où la parole est proscrite, il est difficile pour les membres de se comprendre eux-mêmes et de savoir nommer ce qu'ils ressentent.

On ne ressent rien quand...

- On évite de parler de certains sujets.
- On évite de rencontrer certaines personnes.
- On se défend.
- On s'oppose.
- On se fâche ou on s'emporte.
- On exagère ou on minimise.
- On ridiculise.
- On fait des crises.
- On n'écoute pas.
- On cherche systématiquement la petite bête.
- On reste sur ses positions.
- On discrédite ou on nie les faits.
- On est constamment sur la défensive ou sur l'offensive.

3) On ne fait pas confiance

Dans une famille où on ne s'écoute pas, il est difficile de s'ouvrir à l'autre et d'afficher sa vulnérabilité.

On ne se fait pas confiance quand…

- On ne considère pas la compétence de l'autre.
- On estime qu'on s'est déjà fait avoir.
- On doute de l'amour de l'autre.
- On pense l'autre trop faible.
- On a peur de l'autre.
- On a honte de ce qu'on est vraiment.
- On se méfie et on doute des intentions de l'autre.
- Etc.

La dépendance et la codépendance sont deux comportements qu'engendre le fait de vivre dans une famille dysfonctionnelle.

Les dépendants développeront une profonde insécurité quant à ce qu'ils sont et à leur valeur. Ils nourriront le sentiment de ne pas être à la hauteur, ce qui les poussera à fuir, de toutes les manières possibles, ce sentiment d'insécurité, même s'ils semblent en pleine possession de leurs moyens et paraissent invulnérables.

Les codépendants, plutôt que de sombrer dans l'insécurité, prendront sur eux de pallier les manques de leur famille dysfonctionnelle. Ils s'occuperont alors de ce qui ne va pas, allant parfois jusqu'à devoir assumer des fonctions parentales, même en présence des parents.

Les codépendants se valorisent beaucoup pour leur esprit d'initiative et leur sens du devoir. Ils ont développé un sens exacerbé des responsabilités, ainsi qu'une profonde culpabilité dès qu'ils se sentent incompétents, fatigués ou en colère.

Il n'y a pas de famille parfaite et nous sommes tous, à différents degrés, issus de familles dysfonctionnelles. Devenus adultes, nos vieux modes de protection et de survie, par la fuite ou l'hyperresponsabilisation, ne nous servent plus : au contraire, ils nous nuisent.

Sommes-nous pour autant condamnés à répéter les mêmes *patterns* boiteux ? Heureusement que non !

Dès que l'on comprend que nos comportements de dépendance ou de codépendance sont les manifestations de modes de protection acquis dans l'enfance au sein de notre famille dysfonctionnelle, c'est le début d'une démarche d'autonomie affective.

La dépendance et la codépendance ne sont pas des condamnations à vie. On peut envisager de changer nos modes relationnels, surtout au niveau amoureux.

Qu'est-ce qu'un dépendant ?

Un dépendant donne l'image d'une personne bien en contrôle de ses affaires. Il travaille fort pour accéder à une promotion, il s'entraîne assidument pour un marathon, il saute en parachute, il part en voyage impulsivement, il se passionne subitement pour l'astronomie et s'achète un télescope, il change de voiture plus souvent que nécessaire, etc.

En apparence, le dépendant vit sa vie avec confiance et assurance, mais entre ce qu'il projette et sa réalité intérieure, il y a un monde. L'impression qu'il donne de bien maîtriser son univers n'est qu'une façade. Le dépendant est un anxieux envahi par des doutes et la peur de ne pas être à la hauteur.

Pour fuir cette insécurité paralysante, le dépendant est continuellement à la recherche d'un « rush » d'adrénaline au moyen de choses extérieures qui le valorisent comme le sport, le travail, les loisirs ou les substances, dont l'alcool et les drogues.

Paradoxalement, cette peur qu'il tente de fuir par tous les moyens, jamais il n'envisage de solution pour tenter de l'apaiser. Il ne passe que très rarement à l'action pour satisfaire ses besoins intérieurs. Il préfère exprimer ses états d'âme et se plaindre, en dramatisant ou en se justifiant.

Il rejette toute forme de responsabilité et a toujours d'excellentes raisons pour expliquer qu'il a raté les premiers pas de fiston, dépassé ses limites financières ou n'a pas respecté ses engagements familiaux. Il ne fait que ce qui l'intéresse, comme s'occuper du jardin plutôt que de profiter d'un moment de détente et d'intimité avec l'autre. Il rentre souvent tard du travail, loupe le souper en famille et exprime vigoureusement sa contrariété à la moindre remarque. Il se laisse continuellement captiver par les écrans de son téléphone ou de sa tablette et ne comprend pas le manque de disponibilité sexuelle de son ou de sa partenaire.

Bref, le dépendant est foncièrement égocentrique. Malgré cette description peu reluisante, il est très attachant, car il est authentique et assumé. Tout pour séduire le codépendant.

Qu'est-ce qu'un codépendant ?

Comme disait la « sagesse » populaire à une certaine époque : « Chaque torchon trouve un jour sa guenille. » À notre époque, chaque codépendant s'associe inévitablement à un dépendant, qu'il est prêt à protéger dans ses maladresses, ses excès et ses faux pas.

Le codépendant est toujours à l'affût de quelqu'un à aider. Il est continuellement à la recherche d'occasions de se faire valoir pour les autres : faire du bénévolat à l'école des enfants, dépanner une amie prise par le temps, payer les contraventions de stationnement d'un des ados, nouveau conducteur sans le sou, aux prises avec la signalisation archi compliquée de la grande ville. Le codépendant se substitue aisément à l'autre en assumant ses tâches et ses obligations.

Dans le couple, dès que le dépendant exprime une frustration, le codépendant tente immédiatement de le soulager de son inconfort, même s'il est absolument impuissant face au problème, comme les aléas des travaux routiers, le froid de l'hiver ou les travers de ses collègues. Avant de voir un spécialiste pour un mal de dos, le dépendant préfère se plaindre pendant des semaines avant d'agir. C'est souvent le codépendant qui finira par intervenir et chercher pour lui un spécialiste, prendre rendez-vous à sa place et même, si besoin est, lui avancer l'argent pour payer la consultation.

Le codépendant est centré sur l'autre, mais pas pour l'écouter, le soutenir ou l'accompagner dans sa recherche de solutions à ses problèmes et la satisfaction de ses besoins. En fait, il est surtout préoccupé par ce qu'il peut faire pour aider. Son grand besoin d'accompagner et d'aider l'autre peut devenir très envahissant, même s'il est né d'une bonne intention.

Le codépendant doit prendre rapidement conscience qu'il entretient lui-même une forte dépendance face à un être humain qui souffre. Dans son cas, l'égocentrisme se manifeste par la conviction qu'il sait mieux que l'autre ce qui est bon pour lui. Mais quand vient le moment de voir à ses propres besoins, il est démuni, car il les connaît mal et il les juge illégitimes ou il les minimise pour éviter de les nommer clairement. Chez lui, se préoccuper de son propre bien-être se fait forcément au détriment de celui de l'autre. Plutôt que de ressentir la culpabilité en exigeant qu'on s'occupe de ses besoins à lui, il préfère maintenir « l'équilibre » du couple.

Le couple dépendant-codépendant

Toutes les manifestations de la codépendance et de la dépendance au sein d'un couple ont les mêmes conséquences : l'un et l'autre se déresponsabilisent face à la satisfaction de leurs besoins. Pendant qu'elle nous fait faussement croire que nous sommes animés intérieurement, la dynamique de dépendance et de codépendance limite nos possibilités d'être en relation amoureuse véritable et nous éloigne de nos émotions.

Résultat : la relation se bâtit autour de deux personnes qui semblent être présentes l'une à l'autre, mais qui sont enfermées dans leur logique personnelle et non disponibles émotivement.

Manifestations

DÉPENDANT ET SON INSÉCURITÉ	CODÉPENDANT ET SA CULPABILITÉ
Figé dans l'inaction ou étourdi dans la frénésie	Toujours dans le faire
Jovial ou renfrogné, selon les individus	D'humeur égale et plutôt enthousiaste
En fuite dans la recherche de gratification et de valorisation	Toujours en mode solution
Procrastination ou précipitation dans l'action	S'efforce d'être toujours irréprochable
Sentiment d'infériorité	Sentiment de supériorité
Campé dans ses habitudes ou en recherche constante de nouveauté	Croit être capable de changer l'autre
Peu présent aux besoins de l'autre	Obsédé par l'autre
Envahi par ses sentiments	Évite de se laisser aller à ses états d'âme
Critique constamment les autres, les situations	Veut toujours avoir raison
Caractère impulsif	Grand sens du devoir, mais manque d'authenticité

Pour illustrer les concepts de dépendance et de codépendance, je propose de vous faire rencontrer Karine et Arnaud, un couple dans la jeune quarantaine, ensemble depuis dix-sept ans et parents de deux adolescents : Jade, seize ans, et Raphaël, quatorze ans. Arnaud est ingénieur, Karine est traductrice. Ils sont de la classe moyenne, habitent en banlieue, dans une jolie maison unifamiliale, dont Arnaud prend bien soin, entourée de fleurs et de plates-bandes l'été.

Cet exemple est inspiré de situations et de gens rencontrés dans le cadre de ma pratique. Inutile de dire que tous les noms sont fictifs, les personnages et les situations sont des amalgames de cas similaires. Tous ne ressemblent pas à ces personnages et ne vivent pas dans le même contexte, mais il faut tenter de reconnaître les façons de faire et d'être des protagonistes.

Tous les couples font face aux mêmes défis. Quelles que soient leur orientation sexuelle ou leurs particularités, les manifestations de la dépendance et de la codépendance sont les mêmes pour tous et ont les mêmes effets sur la réalité des couples.

*

Arnaud, donc, est un chic type, attachant, solide et en contrôle de sa vie et du bien-être des siens. Il est exubérant, spontané et on le remarque vite au sein d'un groupe. Très manuel, il fait tout lui-même : rénovation et entretien de la maison, aménagement paysager, jardin et potager, ainsi qu'un peu de mécanique. Il se passionne aussi pour la cuisine, la grande cuisine. Il le fait en amateur, mais ceux qui ont le privilège d'être invités à sa table s'en souviennent longtemps.

Karine est plus discrète. Depuis quelques années, elle travaille à la maison, à son compte. C'est une femme très chaleureuse, organisée et disponible, très soucieuse du bien-être des siens. Ses enfants et son mari sont le trésor de sa vie, sa raison d'être presque. Elle ne ménage aucun effort pour ceux qu'elle aime.

Karine est l'amie parfaite. Parents et proches sont toujours les bienvenus chez elle. Arnaud, lui, peut se montrer très enthousiaste à la perspective de recevoir des amis ou être contrarié et se plaindre d'être envahi, ça dépend de ses humeurs.

Quand les enfants étaient plus jeunes et que Karine travaillait encore en entreprise, ils s'étaient entendus sur un partage équitable des tâches. Les courses, les repas, le ménage, tout se faisait le plus souvent possible à deux, mais Arnaud en a toujours fait un peu moins sous prétexte qu'il sortait les vidanges, tondait le gazon l'été et déblayait la neige l'hiver.

Le matin, par exemple, Arnaud s'occupait de débarrasser la table après le déjeuner et il ne manquait jamais une occasion de rappeler tout le mérite qu'il avait de se charger de cette « corvée », pendant que Karine préparait les lunchs, le cœur rempli de gratitude d'avoir le privilège de faire ça pour sa famille.

C'était la belle époque où les enfants se laissaient organiser, se couchaient et se levaient à heures fixes et mangeaient ce qu'on leur donnait. Devenus des ados, les horaires, les besoins, la routine, tout est bousculé. Évidemment, comme Karine travaille maintenant à la maison, elle prépare toujours les lunchs, mais en plus elle débarrasse la table après le déjeuner. Arnaud part tôt, car rien ne l'exaspère plus que de se prendre dans un embouteillage. Karine comprend ça.

C'est elle aussi qui prépare les soupers de tous les jours, en essayant d'y mettre le plus de variété possible et en s'assurant qu'ils soient bien équilibrés et savoureux. Arnaud, lui, s'occupe de la cuisine des grandes occasions : les anniversaires, les repas des fêtes, les soupers entre amis, etc. Quand il s'installe aux fourneaux, c'est pour créer une œuvre culinaire, dont sa traditionnelle dinde de Noël.

Pendant le temps des fêtes, justement, quand ils reçoivent les familles, qui s'assure de nourrir les véganes, les sans gluten, les intolérants au lactose et autres allergiques ? Karine, bien sûr. Elle porte une attention particulière aux besoins de chacun et conçoit des menus sur mesure. Elle se donne vraiment beaucoup de mal, mais ce dont on parle le lendemain, c'est encore et toujours de la dinde d'Arnaud, dans sa sauce onctueuse, qui fond littéralement dans la bouche.

À propos des tâches, Arnaud tient à ce que chacun fasse sa part. Les enfants doivent, en principe, faire leur chambre, vider le lave-vaisselle, sortir les poubelles, vider la litière du chat et autres menues corvées, selon les circonstances.

Il a décrété un jour : « Je m'occupe du terrain, des plates-bandes, du potager. Je fais toutes les rénovations de la maison et je répare tout ce qui brise. Il me semble que je fais largement ma part. »

En effet, Arnaud entretient lui-même sa maison. Sa liste de tâches est longue et il y travaille régulièrement, été comme hiver. Il a changé lui-même sa toiture, il y a deux ans, et l'hiver d'après il a remplacé la toilette du sous-sol. Tout seul. Il est très fier de sa maison et des améliorations qu'il a lui-même apportées. Évidemment, c'est souvent le chantier, le désordre et la poussière, ce qui affecte leur qualité de vie dans la maison, mais il faut ce qu'il faut. Arnaud a beau dire qu'il ramasse son barda, il tourne souvent les coins ronds. Karine ne commente pas et préfère passer derrière pour vraiment nettoyer correctement.

C'est Arnaud qui s'occupe aussi de l'aménagement et de l'entretien du terrain : tailler les haies, tondre le gazon, fleurir les plates-bandes. Il travaille bien. Deux fois, il s'est retrouvé en nomination pour le concours Terrain-fleuri qu'organise sa municipalité chaque année. Ce n'est pas rare qu'il voie des gens s'arrêter devant la maison et prendre des photos. Sans compter les voisins qui lui demandent conseil. Toute cette attention, ça lui fait vraiment plaisir !

Trop peut-être. Arnaud a cette fâcheuse manie de tout entreprendre en même temps. Il fait un petit bout ici, un petit bout là. S'il fait beau, il a ses projets extérieurs. S'il pleut, il a ses projets intérieurs. Et ainsi, il passe ses soirées, ses journées, ses week-ends, une bonne partie de ses vacances à manier la scie et le marteau ou le râteau et la bêcheuse.

Pendant ce temps, Karine attend. En fait, elle attend de moins en moins. Elle qui a longtemps mis beaucoup d'efforts pour alimenter la flamme, pour pimenter la relation et approfondir leur intimité a été souvent ralentie dans ses élans par l'agenda d'Arnaud.

Pourtant, quand elle parvient à l'attraper et qu'il se laisse prendre par l'invitation à l'amour et au plaisir, elle le retrouve exactement comme elle l'a rencontré, il y a dix-sept ans. Charmeur, drôle, coquin. Elle a encore en mémoire des vacances en amoureux absolument fabuleuses dans le Maine, des week-ends, avant les enfants, qu'ils passaient entièrement nus, à faire l'amour dans toutes les pièces de la maison, y compris certains placards, à jouer aux échecs et à se faire de bonnes bouffes. Elle constate avec regret qu'il n'existe plus rien de cette légèreté, de cette folie et, quand elle y songe, ça la mène chaque fois au bord des larmes.

Bien sûr, ils font encore l'amour régulièrement, mais Arnaud a cette tendance à aller vite au plus facile et au plus rapide. Pas qu'il rechigne à la tâche, au contraire, il n'en a jamais assez, ce qui le frustre un peu d'ailleurs. Non, mais s'il n'en tenait qu'à lui, il y aurait beaucoup plus de « petites vites », c'est moins compliqué. Elle a toujours l'impression qu'il s'ennuie lors des préliminaires et, en effet, Arnaud les considère un peu comme un exercice de réchauffement pour elle, un passage obligé. Chose certaine, la porno est beaucoup plus efficace que les préliminaires pour le mettre en condition.

En revanche, le sexe avec Arnaud a toujours été fantastique. La sexualité leur a toujours permis de se retrouver. Karine aime faire plaisir à Arnaud et au lit particulièrement. Elle y trouve son compte, ne serait-ce que de profiter de ces minutes précieuses, après l'amour, où Arnaud redevient chaton. À ce moment-là, toutes les craintes et l'insécurité de son homme semblent s'envoler et Karine est au nirvana.

Mais ça ne dure pas, car Arnaud a toujours « un sanglier sur le feu », comme il dit, ce qui signifie qu'il a autre chose à faire.

Il donne toujours l'impression de crouler sous la tâche pour le bien des siens, mais, en vérité, Arnaud ne fait que ce qui l'intéresse. Il ne fait que ce qu'il aime, ce qui l'aide à se mettre en valeur et ce qui lui apporte de la satisfaction. Tant mieux si Karine et les enfants en profitent.

Donc, Arnaud est très occupé, mais impossible de compter sur lui pour les corvées quotidiennes. Avec les ados, l'exécution des tâches nécessite toujours un peu la croix et la bannière. Karine monte au front, elle insiste et répète jusqu'à ce qu'ils obtempèrent. Elle réussit, mais au prix de bien des efforts. Avec le temps, elle a appris à investir son énergie aux bons endroits. Plutôt qu'un conflit ouvert à propos de la maudite litière, elle s'en charge elle-même. Ça prend deux minutes aux deux jours et c'est mieux fait que quand les enfants le font une fois par semaine. Il faut choisir ses batailles.

Les jours de ménage, sa fille Jade finit par s'activer, mais en faisant savoir à la terre entière qu'elle « s'arrache le cœur ». Il faut dire que, en plus de ses études, Jade travaille une douzaine d'heures par semaine dans un commerce du coin et fait parfois du gardiennage dans les environs, les soirs de semaine. Karine s'inquiète des sautes d'humeur de Jade et de son manque de coopération. Depuis quelques semaines, elle est passée en mode « recherche de solutions ». Mais voilà, plus elle tente de discuter avec sa fille, plus Jade se braque.

Arnaud ne comprend pas très bien pourquoi Karine s'inquiète. Il semble être le seul à échapper à la mauvaise humeur de sa fille. Il faut dire que, depuis toujours, Arnaud est perçu par ses enfants comme un allié, même un ami plutôt qu'un parent.

Ses « gros déjeuners » du dimanche, moins populaires depuis que les enfants dorment le matin, ont été remplacés par des dimanches après-midi « gâteau » ou « belles tartes », comme Arnaud aime les appeler. Ensemble, ils fabriquent des desserts dont ils se régaleront toute la semaine.

Quand les enfants étaient petits, Arnaud leur construisait une patinoire l'hiver. Après le souper, ils sortaient tous les trois pour jouer, pendant que Karine débarrassait la table. Mais c'est elle, ensuite, qui passait pour la méchante quand elle obligeait les enfants à entrer pour finir leurs devoirs. Arnaud aurait continué à jouer et semblait presque aussi déçu qu'eux. « Même s'ils se couchaient un peu plus tard, ce ne serait pas un drame », lui lança un soir Arnaud.

Karine porte l'odieux d'imposer la discipline. C'est elle qui fixe des limites et qui souffre des frustrations de l'un ou de l'autre face aux règles et aux obligations. Quand elle demande à Arnaud un peu de soutien face aux enfants, il a souvent en réserve une farce plate ou une remarque ambiguë pour la faire sentir coupable. « T'es bien mère poule ! », ou « Tiens, la louve qui protège ses petits. Laisse-les vivre un peu ! » ou encore « Tu en demandes trop ! »

Arnaud n'a pas de difficulté avec les enfants. Évidemment, quand la situation se corse dans la maison à propos des tâches, des bulletins ou des conflits et que des flammèches risquent de fuser, Arnaud sort s'occuper de sa haie ou « bizounner » dans l'atelier. En fait, dès qu'il se sent envahi, Arnaud se retire.

Quand Karine le lui reproche, il ramène chaque fois le temps de qualité qu'il passe avec eux, les dimanches après-midi « belles tartes », toutes ces soirées où il les a « gardés » quand ils étaient jeunes, tous ces « lifts » pour reconduire l'un ou l'autre à ses activités. Il n'a jamais rechigné (ce qui est archi faux).

Karine a parfois l'impression que son mari et ses enfants exagèrent. Pour être honnête, c'est quelque chose qu'elle ressent de plus en plus souvent, mais il lui en faut beaucoup pour l'ébranler. Elle déploie les mêmes ressources de diplomatie, de stratégie et de patience avec chacun des gros égos de la maison, particulièrement celui d'Arnaud. Elle ressent trop souvent maintenant le sentiment d'être délaissée, triste et impuissante à redonner l'erre d'aller à son couple. Elle y met du cœur pourtant, mais Arnaud peut être tellement décevant parfois. En vieillissant, ils s'enfoncent dans un petit quotidien sans surprise et ronronnant, ce qui semble faire parfaitement l'affaire d'Arnaud.

Quand elle sent que c'est trop et que ses efforts ne sont pas récompensés, son trop-plein déborde et elle pète un plomb, comme on dit. Dans ces moments-là, toute sa frustration réprimée sort d'un coup et elle lui balance pêle-mêle ses insatisfactions au visage. Arnaud reste là, tétanisé et abasourdi de voir le volcan « Karine » entrer en éruption.

Elle doit admettre que ça lui arrive de plus en plus souvent. La dernière fois, c'était jour de corvée et tout le monde chipotait, mais elle n'était pas d'humeur. L'épisode fut bref et décousu. Elle vociféra ses reproches à la volée, en pointant vers eux un doigt accusateur et menaçant. L'orage fut suivi d'un lourd silence et les enfants ne savaient plus où se mettre. Karine est sortie prendre l'air et quand elle est revenue, vingt minutes plus tard, tout le monde marchait droit.

Mais la bonne vieille Karine, pleine de bonnes intentions et apôtre de la bonne entente, se débattait avec son immense culpabilité. Elle se revoyait, la folle du logis, montée sur ses grands chevaux et elle avait juste envie de s'excuser et qu'on n'en parle plus.

Karine ne sait pas très bien exprimer sa frustration et elle déteste devoir mettre son pied à terre et imposer une limite. Pourquoi une limite ? Pour protéger quoi en elle au juste ? Ses désirs, ses besoins ? Elle ne désire et n'a besoin de rien d'autre que du bonheur des siens. Alors pourquoi, malgré ses efforts, sent-elle qu'elle échoue ? Elle se promet chaque fois de faire mieux et, surtout, de se contrôler. Elle se dit que la colère ne règle rien.

Arnaud, lui, a bien remarqué que Karine semble de plus en plus insatisfaite de sa vie et ce constat l'affole et le paralyse. Il s'effraie lui-même de la profondeur du gouffre qui s'ouvre sous ses pieds à l'idée que Karine puisse le quitter. Il se trouve tellement démuni qu'il veut fuir cette idée et sortir s'occuper de ses rosiers. Mais même les rosiers, à un certain moment, ça ne suffit plus à calmer l'insécurité.

Arnaud, en bon dépendant qu'il est, trouve sa valorisation dans le regard des autres, mais surtout dans celui de Karine. Le jour où il s'est littéralement « confié » à elle, il est parvenu à maîtriser le profond sentiment d'insécurité qu'il a toujours ressenti face à lui-même, à ses capacités, à ses doutes et à ses peurs. Avec elle, il s'en est libéré, mais à la condition de pouvoir compter sur le regard amoureux de Karine qui lui confirme qu'il est adéquat, et même plus parfois, qu'il est extraordinaire. C'est cette quête sans fin de reconnaissance qui rend Arnaud aveugle aux besoins véritables de Karine.

De son côté, Karine, dont tout le monde vénère l'existence, risque de crouler sous la tâche. Elle qui se sent la mission d'aider l'autre tente désespérément d'apaiser sa propre culpabilité quand vient le temps de s'occuper d'elle-même. Pour ne pas ressentir cette culpabilité, elle évite de s'interroger et d'essayer de comprendre ce dont elle a besoin.

À force de fuir sa culpabilité en s'oubliant elle-même et en prenant toujours plus de responsabilités sur ses épaules, Karine se dirige vers l'épuisement, la dépression, la maladie ou le développement d'une dépendance pour l'aider à supporter la charge : un comprimé pour dormir, une coupe de vin ou deux ou plus pour se relaxer, un sac de chips pour se récompenser…

Arnaud, lui, à force de fuir son insécurité toujours plus vite et toujours plus loin dans sa quête de reconnaissance ou de gratification, atteindra tôt ou tard ce que plusieurs appellent un « bas-fond » qui se traduit par une déroute de la personne pouvant mener, ultimement, jusqu'au désir de mourir.

Dans le cas d'Arnaud et de Karine, la perspective de faire face à la rupture doit constituer un incitatif à réagir vigoureusement.

Le coup de barre

Pour peu que l'un et l'autre souhaitent sauver leur union, leur amour et poursuivre leur vie ensemble, la première étape est d'accepter d'apprendre de l'autre. Arnaud doit tendre vers Karine, mieux apprécier son altruisme et sa façon de se rendre disponible à lui et tenter de l'imiter. Arnaud doit s'efforcer d'épauler Karine, pour vrai et non pas uniquement par des tâches qui l'intéressent lui d'abord. Peut-être pourrait-il aussi s'activer et entreprendre les actions concrètes, pour voir le plus possible à satisfaire ses propres besoins ?

Karine devrait voir de quelle façon Arnaud agit et s'en inspirer aussi. Elle pourrait apprendre beaucoup de sa capacité à ressentir et à nommer ses besoins insatisfaits. Une bonne façon serait de s'arrêter, quelques minutes ou plus, tous les jours, pour ressentir l'état de son monde intérieur, saisir ses frustrations et exprimer clairement ses besoins. Elle doit surtout apprendre à cesser de toujours agir pour le seul bénéfice d'Arnaud, de Jade et de Raphaël.

C'est d'abord et avant tout Karine qui nourrit le dépendant qu'est Arnaud et qui lui a permis, au fil du temps, de devenir si égocentrique. En entretenant sa passivité, en l'excusant de tout et en le prenant en charge, elle a nourri la bête. C'est sa capacité à elle de tolérer cette situation qui a déterminé l'évolution du couple. Tant et aussi longtemps qu'elle s'en accommode, pourquoi Arnaud changerait-il ?

Bien sûr, si Karine et Arnaud ne tentent rien pour changer la dynamique de leur couple, deux issues sont possibles. La première est la résignation, c'est-à-dire l'acceptation passive des choses et la poursuite d'une relation insatisfaisante que les deux partenaires déserteront en s'enfonçant de part et d'autre dans leurs comportements de survie. Ils accepteront de s'endurer l'un et l'autre et de répéter leurs vieux *patterns* de famille dysfonctionnelle en ne se parlant pas, en ne ressentant rien et en ne se faisant pas confiance, jusqu'à ce que mort s'ensuive.

L'autre issue est la rupture du couple, pure et simple, pour cause de ras-le-bol de la part du codépendant. Chacun repart de son côté avec ses blessures, sa déception et sa rancœur envers l'autre, qui ne s'est pas montré à la hauteur. Certains, échaudés, deviennent très réticents à répéter l'expérience de la vie à deux. D'autres, au contraire, vont replonger tête première dans une nouvelle relation à la recherche de celui ou celle avec qui ils répéteront les mêmes erreurs en rejouant sensiblement le même scénario *ad nauseam*.

Si, au contraire, Arnaud reconnaît le ras-le-bol exprimé par Karine et choisit de faire l'introspection nécessaire, l'occasion est belle de passer à l'action et de s'attaquer ensemble au défi du cheminement vers l'autonomie affective.

Les défis du couple dépendant-codépendant

Pour entreprendre une telle démarche, Arnaud et Karine devront se donner du temps et se concentrer sur les besoins de leur relation. Ils obéissent depuis toujours à des *patterns* improductifs qu'ils ne perçoivent pas nécessairement, mais qu'ils doivent revoir.

Le travail d'affranchissement de nos vieux réflexes de dépendance affective s'entreprend humblement, avec constance et patience. Le fait de pouvoir définir les traits de caractère qui déterminent nos comportements dans le couple permet de mieux saisir le travail à entreprendre pour briser nos *patterns* destructeurs. Il faut se montrer extrêmement vigilants, car les réflexes de l'égo pour maintenir en place tous nos travers et faire dévier nos bonnes intentions sont puissants.

L'égo, c'est la fausse représentation que nous nous faisons de nous-mêmes par la positive ou la négative, ce sont les mécanismes que nous avons développés pour protéger l'être, et la partie observable de notre personnalité. L'égo entretient et nourrit nos défauts de caractère, notre orgueil, nos dépendances dont certaines sont bien déguisées sous le masque des perfectionnistes, des performants, des gagnants, mais aussi des colériques, des irritables et des méprisants. Ces caractéristiques sont différentes de l'abus d'alcool ou de drogues, mais font quand même leurs ravages dans un couple. Quand on s'enfonce dans ces penchants, on est forcément dans l'égo. Revenir au niveau du cœur, c'est admettre que nous avons des limites, être plus tolérant, faire preuve d'humilité, mettre un peu plus de douceur dans le quotidien.

La vigilance est donc de mise. Arnaud doit absolument s'efforcer de travailler sur lui en tentant de se soucier des besoins de Karine et non pas devenir l'observateur critique, qui lui remet chaque faux pas sous les yeux. Un « Tu ne t'occupes pas de toi, là... » est absolument improductif et n'aide pas Karine. Ce n'est que la manifestation de l'égo d'Arnaud, qui tente de reprendre ses droits.

Pour éviter les pièges de l'égo, nous pouvons nous concentrer sur nos valeurs. Une valeur est ce qui nous anime, donne un sens à notre vie, nous donne le goût de nous lever le matin. Une valeur, c'est la dimension de soi qui met en lumière nos qualités humaines, notre dimension saine. Nos valeurs nous permettent d'honorer nos dons, nos talents, nos capacités et nos aptitudes.

Au fond, Arnaud est follement amoureux de Karine. Au lieu de se soucier du fait que son environnement soit impeccable et que lui-même soit reconnu comme quelqu'un qui prend bien soin de ses affaires par son voisinage (reconnaissance extérieure qui nourrit son perfectionnisme et son besoin de bien paraître), il n'a qu'à se connecter à l'amour qu'il ressent pour Karine pour faire les tâches qui l'ennuient comme la discipline avec les enfants et la besogne quotidienne. Karine sera ravie de constater qu'elle n'est pas seule avec les responsabilités de la maison (elle sera touchée par le fait d'être ensemble, en couple) et Arnaud sera heureux de voir son amoureuse détendue et de bonne humeur.

Autre exemple : si Arnaud élève le bien-être des siens au rang de valeur première, comme il le proclame à qui veut l'entendre, il n'aura pas tendance à se défiler quand des conflits surgiront ou qu'une décision difficile devra se prendre.

Ce sont les qualités intérieures et non extérieures qui changeront toute l'attitude du couple. Le paraître, le perfectionnisme, les tâches, la solitude, l'orgueil laisseront place à l'amour, à la complicité, au soutien et à l'humilité.

Ce qui différencie une « valeur » d'un devoir, d'un principe ou d'un standard, c'est le plaisir. On ne se fait pas violence à honorer une valeur. Au contraire, cela nous nourrit et nous enthousiasme. La motivation première est différente.

Se lever tous les matins par pure obligation mène à une perte de sens dans nos vies. Le sens du devoir, l'impitoyable « il faut bien », nous maintient dans l'égo. Croire que, dans la vie, il faut travailler pour réussir, performer, s'enrichir au risque de perdre la face et d'être jugés par les autres offre une perspective de vie différente que celle d'être animés par des idéaux d'accomplissement personnel, de partage et de bienveillance.

Ce qui nous fait lâcher prise sur l'égo, ce sont les conséquences. Sans conséquences, pas de changement. Si une chose à laquelle nous tenons est menacée par nos comportements, c'est le temps de changer nos comportements. Une occasion à saisir !

Vivre sa vie en fonction de ses valeurs est une tout autre attitude, qui ne situe pas l'individu par rapport à une obligation qui s'accepte ou se refuse, mais plutôt face à des choix qui le motivent et l'animent, en harmonie avec lui-même.

S'attarder à exprimer ses valeurs et s'intéresser à celles de l'autre nous sort des travers de l'égo. On doit pouvoir les définir, les nommer, leur donner corps, les incarner dans notre réalité. Si l'on s'ouvre à ce genre d'échange, ça donne généralement des discussions passionnantes. Transmettre et partager l'amour, l'authenticité et l'ouverture, c'est tout le contraire de l'égo.

La dépendance et la codépendance ne sont pas des condamnations à vie. On peut envisager de changer ses modes relationnels, surtout au niveau amoureux.

Fusionnel et solitaire

CHAPITRE 3

Êtes-vous continuellement envahi par un besoin d'être sécurisé en relation ? Êtes-vous constamment dans l'attente d'être reconnu par l'autre ? Avez-vous du mal à fonctionner au quotidien en début de relation ou lors des conflits ? Si vous répondez oui à ces questions, vous êtes probablement un fusionnel.

Si, au contraire, vous éprouvez de la difficulté à vous abandonner aux plaisirs de la vie à deux, que vous devenez soudainement débordé de travail quand l'autre manifeste avec trop d'insistance son désir de rapprochement et que vous doutez même parfois de votre capacité à aimer, c'est que vous êtes peut-être un solitaire.

L'enjeu de la dualité fusionnel et solitaire[8] est de trouver l'équilibre entre les besoins individuels et les besoins de la relation. Le solitaire conjugue à la première personne du singulier, alors que le fusionnel conjugue à la première personne du pluriel. L'un et l'autre devront trouver l'équilibre entre le « je » du solitaire et le « nous » du fusionnel.

8. Les notions de fusionnel et de solitaire sont empruntées à l'auteure, sexologue et conférencière Claire Reid. Mme Reid a produit trois ouvrages incontournables pour quiconque tente de comprendre les dynamiques de couple : *Êtes-vous fusionnel ou solitaire ? – le nouveau couple,* Louise Courteau, 2009 ; *Couple et cœur conscient – le fusionnel, le solitaire et l'amour,* Louise Courteau, 2003 ; *L'approche du cœur conscient – de la co-dépendance au lien créateur,* Jouvence, 2014.

Qu'est-ce qu'un fusionnel ?

Le fusionnel est celui qui allume le feu dans le couple et qui nourrit la flamme. Sa vision du bonheur passe d'abord et avant tout par sa relation. Cuisiner à deux, faire les courses à deux... Jouer ! Sortir ! Tout faire à deux, le bonheur !

Jamais il ne lui viendrait à l'esprit de passer un samedi soir avec des amis, sans l'autre. Il veut d'abord et avant tout être lié amoureusement à un autre être humain, autour de qui organiser sa vie. Le travail, les projets, les voyages, les amis, rien de tout cela n'a de sens pour lui s'il ne peut pas les partager avec l'autre. Qu'il soit en couple depuis longtemps ou qu'il passe d'une relation à une autre, il ne conçoit pas la vie sans relation et vit donc difficilement la solitude amoureuse.

Le dépendant fusionnel

Le dépendant fusionnel est pour ainsi dire dépendant de l'autre. Il a un besoin quotidien d'être en sa présence et investit son couple d'une grande charge émotive. Il est très exigeant et très présent dans la relation.

Si le dépendant fusionnel est d'une nature plutôt « romantique », il ne manquera aucune occasion de se rappeler à l'autre par de petits mots, des cadeaux et des attentions spéciales. Toutes ces « preuves d'amour » peuvent devenir extrêmement envahissantes pour le solitaire qui, par nature, met plus de temps à sentir émerger en lui le désir de l'autre et le besoin d'être dans ses bras.

Le dépendant fusionnel un peu plus « renfrogné » manifeste son mécontentement dès que le codépendant solitaire se consacre un peu trop aux autres et pas suffisamment à lui. Il conteste, exprime sa frustration et réclame sans cesse que l'on réponde à ses besoins relationnels inassouvis qui, par ailleurs, sont insatiables.

Le dépendant fusionnel exige la présence quotidienne et l'attention assidue de son partenaire de vie. Sexuellement, plusieurs d'entre eux sont des puits sans fond et peuvent se montrer très possessifs.

Autant de caractéristiques qui prédisposent le dépendant fusionnel à la jalousie. Il prendra facilement ombrage de l'existence d'un rival potentiel, mais aussi de la fille, de l'ami ou de la mère avec qui le codépendant solitaire est en relation étroite. Le dépendant fusionnel est très dérangé par tout ce qui s'immisce dans la relation. Très égoïstement, il peut considérer qu'on lui vole personnellement du temps et de l'attention.

Dans ce cas, le fusionnel doit être rassuré par des marques d'exclusivité. Si le solitaire baptise tous ses proches de petits quolibets comme « mes chéris » ou « mes amours », il a avantage à trouver un petit poupou ou chouchoune unique à son partenaire fusionnel. Il doit pouvoir lui proposer des activités ou des moments réservés à eux seuls et s'assurer qu'une part de sa vie intime lui soit exclusivement dédiée.

Ce qui sauve le fusionnel, c'est qu'il parvient toujours à ramener le solitaire vers son besoin amoureux. Il peut être très égocentrique, mais quand vient le temps de favoriser des rencontres amoureuses enlevantes et inspirantes, il est présent et n'a aucun problème à s'en occuper.

Mais, à l'inverse, le dépendant fusionnel doit se laisser désirer et respecter les besoins d'espace et de temps du solitaire, pour s'assurer de sa disponibilité à vivre l'intimité amoureuse.

Le codépendant fusionnel

Pour le codépendant fusionnel, la relation amoureuse devient le seul espace où il peut se réfugier et lâcher un peu prise sur ses responsabilités et ce qu'il a à faire. « C'est le seul moment où je te demande de me reposer sur toi… » Ses attentes sont élevées, mais en couple avec un dépendant solitaire, davantage réfugié dans son monde, le codépendant fusionnel risque de vivre beaucoup de frustrations.

Déjà enclin à se préoccuper d'abord de l'autre par son côté codépendant, le fusionnel tend à se fondre plus profondément encore dans la vie et l'intimité de l'autre. Le codépendant fusionnel a souvent une vision bien claire de ce que devrait être la relation et il travaille fort pour y parvenir. Le hic est qu'il ne reçoit pas toujours l'accueil qu'il espère du solitaire et ressent chaque fois le douloureux sentiment de rejet.

Qu'est-ce qu'un solitaire ?

Chez une personne de type solitaire, le besoin de solitude ne doit pas être confondu avec un désir d'isolement. Au contraire, le solitaire a besoin, pour se réaliser, d'avoir une vie sociale et professionnelle bien remplie, de bons amis et des collègues qu'il apprécie beaucoup. Son caractère de solitaire s'exprime par le fait que, à un certain moment, il peut se sentir envahi par la présence et les attentes de tous ces gens, et à plus forte raison du fusionnel avec qui il partage sa vie. Vient un temps où il souhaite se retirer.

Le solitaire est facilement séduit par le fusionnel, qui est intense et possède un talent naturel pour créer des moments d'intimité magiques et spontanés, à partir de petits riens parfois. Un fou rire, un regard complice, un toucher inopiné. La pureté de ses sentiments le séduit et la petite flamme, qu'il voit briller dans son œil, a l'effet d'un feu d'artifice pour lui.

Mais bien sûr, après quelque temps, la passion du début s'estompe. Alors que le fusionnel s'accroche et tente sans cesse de recréer ces moments de grande proximité, le solitaire est incapable de négliger bien longtemps tous les autres domaines de sa vie au profit de sa seule relation amoureuse. Les contes de fées n'existent pas et eux-mêmes ne sont pas des princes ni des princesses.

Face à l'intensité que le fusionnel a tendance à nourrir, le solitaire peut se trouver face à des questions essentielles. Il se culpabilisera de ne pas être aussi profondément impliqué que l'autre, du fait qu'il n'a pas autant d'élan. On peut en venir à se demander s'il est vraiment amoureux...

En fait, le solitaire se comporte selon des règles très différentes, presque opposées à celles du fusionnel. Il a besoin de savoir qu'il peut se réaliser dans toutes les facettes de sa vie pour se rendre entièrement disponible à sa vie amoureuse. Dès qu'il se sent envahi par les « avances » du fusionnel, il vit de l'inconfort. Par ailleurs, si le solitaire peut bénéficier d'espace et de temps, il revient toujours plus disposé à établir une forte connexion émotive.

L'un des défis du solitaire est certainement de se rendre disponible émotivement. Ce n'est qu'ainsi qu'il pourra se rapprocher du fusionnel. Si ce dernier peut bénéficier de temps de qualité avec l'être aimé, il sera mieux disposé à laisser le solitaire vivre sa vie sans constamment tenter de l'attirer vers lui pour combler un manque.

Le dépendant solitaire

S'il ne fait pas un effort conscient pour entrer en contact avec son monde émotif ou pour être en relation, le dépendant solitaire s'enferme dans sa bulle et ses comportements de fuite. Sa dépendance le garde à l'extérieur de lui-même et son côté solitaire fait qu'il est débranché de son monde émotif. Face au fusionnel, il se trouve dépourvu, car il a peine à sentir son besoin d'intimité amoureuse. Le dépendant solitaire est difficile à cerner, car il ne s'ouvre pas facilement.

C'est un intense, un hyper sensible, un passionné, mais si son objet de passion n'est pas l'autre, la relation amoureuse risque d'en souffrir. Pour préserver le lien amoureux, le dépendant solitaire doit volontairement faire l'effort de s'investir dans la relation.

Face à son sentiment d'envahissement, le solitaire doit faire respecter ses limites, bien sûr, mais la seule façon d'y arriver est d'abord de faire l'effort de reconnaître l'émotion du fusionnel et ne pas le balayer du revers de la main. Face à la sensibilité du fusionnel, le solitaire doit s'ouvrir sur le plan émotif, sinon l'accès à l'intimité devient très difficile et l'existence même du couple est en jeu.

Le codépendant solitaire

Par sa nature, le codépendant se met au service des autres, mais ce qui le sauve quand vient le temps d'établir une limite, c'est son besoin de solitude. Le codépendant solitaire est celui qui s'investit à longueur de journée, mais qui, à un certain moment, a besoin qu'on lui laisse la paix pour refaire son énergie.

Le codépendant solitaire se sent facilement envahi. Noël, par exemple, est un grand défi pour lui. Quand la visite se pointe, il est très allumé et son côté codépendant s'exprime librement. Il papillonne toute la soirée de l'un à l'autre et s'occupe de tout le monde en même temps. Mais quand la visite repart, il se ferme comme une huître dont on ne peut plus rien tirer. Il peut passer des heures à ne pas parler. Le codépendant solitaire se protège contre l'envahissement en décrochant, tout simplement. Il ne répond plus au téléphone, à ses courriels ni même à la porte parfois. Sa solitude est sa façon de se recharger après avoir été au service de tout le monde.

Les codépendants solitaires utilisent leur solitude un peu comme un mécanisme de survie. S'ils ne peuvent pas s'isoler physiquement, comme dans une voiture ou un avion, ils sont du genre à assumer pleinement leur non-disponibilité et vont vite se préparer à dormir, juste pour ne pas avoir à parler.

Le couple fusionnel-solitaire

Le fusionnel a une idée très claire de ce que doit être une relation amoureuse, comme s'il existait un grand code universel où sont répertoriées toutes les lois non écrites de l'amour véritable. Des lois tellement évidentes, connues et acceptées qu'elles n'ont pas besoin d'être exprimées ; elles vont de soi. De là les « Si tu m'aimais vraiment... » et les « En couple, on est censés... ».

Cela se traduit par une foule de situations au quotidien. Par exemple, le solitaire s'accommode parfaitement de l'omniprésence des écrans dans sa vie. Que ce soit pour le travail ou pour décrocher et se changer les idées, les écrans lui permettent de se réfugier dans sa bulle et d'éviter de devoir parler, alors que le fusionnel exige une interaction directe et intime avec l'autre. Lui qui ne comprend pas vraiment pourquoi le solitaire ferme la porte quand il prend son bain, réagit fortement à l'envahissement des écrans dans la vie du couple. « Pourquoi tu coupes le lien ? » Il peut même en venir à considérer la tablette électronique comme une maîtresse qui s'interpose dans son couple. Sa devise : lâchons nos écrans et redevenons amants !

Le fusionnel utilise plutôt la technologie comme outil pour demeurer en contact avec l'autre. Il est prompt à lui envoyer des petits coucous par texto à toute heure du jour : « Bonne journée, mon amour » le matin, « bon appétit, ma chérie » le midi, et peut-être « Bonne nuit, my love » le soir…

Le fusionnel est toujours dans l'attente et nourrit l'espoir de pouvoir passer du temps en compagnie de l'autre et d'assouvir son besoin relationnel. Mais s'il ne l'exprime pas et ne fait qu'attendre, il vit de grandes déceptions et accumule la frustration. Pour toutes ces raisons, on lui appose rapidement l'étiquette de « dépendant affectif », ce qui n'est pas entièrement faux.

Toutefois, une vérité demeure : sans le fusionnel, il n'y a pas de relation. Deux solitaires seront de bons amis, de bons colocs ou même de bons amants, mais il n'y aura pas entre eux l'intimité amoureuse que réclame le fusionnel.

Le fusionnel doit instituer des rituels amoureux planifiés afin de s'assurer que le solitaire a le temps de se rendre disponible émotivement, car ce dernier met longtemps à faire ce que le fusionnel fait instantanément. Si le fusionnel ne respecte pas ce besoin du solitaire pour ressentir l'émotion qui l'habite, il risque de vivre de grandes frustrations face à ce qu'il interprète comme du rejet.

Le piège qui guette également le fusionnel est d'espérer que le solitaire développe le réflexe de prendre les devants et de saisir lui-même les chances de rapprochement, ce qui ne se produira pas s'il n'a pas l'occasion, le temps et l'espace pour ressentir le désir de le faire.

Pour illustrer cette dynamique amoureuse, un exemple typique de couple fusionnel-solitaire me revient en mémoire. Appelons-les Michel et Corinne. Michel est chef de projet dans le secteur minier et il adore son travail. Il passe toutefois la plus grande partie du temps à l'extérieur de la maison, dans des régions éloignées. En fait, il travaille pendant trois semaines consécutives et est en congé pendant une semaine à la maison. Le fait de décrocher cet emploi, quelques années plus tôt, constituait un jalon important dans sa carrière et Corinne, qui n'était pas très chaude à l'idée des absences prolongées de Michel, s'est laissé convaincre que ce ne serait que temporaire.

Pour le dépendant solitaire qu'est Michel, ces longues périodes à l'extérieur de la maison lui conviennent, puisque c'est la réponse à son grand besoin de solitude.

Quand il rentre, par contre, il a du mal à s'extirper de sa bulle et à s'adapter au changement de contexte. Sorti de la routine du travail, Michel se trouve soudainement plongé dans le quotidien familial : le tournoi de soccer du petit, les courses, les tâches, etc. Il exprime son désir d'avoir du temps pour se déposer, pour redevenir disponible aux échanges et aux relations. Cette transition est nécessaire pour lui.

Mais Corinne, elle, attend ce moment depuis longtemps. Pendant l'absence de son amoureux, c'est elle qui s'occupe de tout. Elle idéalise cet instant où il sera de retour à la maison avec des scénarios rêvés de retrouvailles, de vie de famille et de proximité. Le délai qu'exige Michel est une frustration supplémentaire qui est interprétée comme une forme de rejet.

Corinne a plus de chances de vivre les retrouvailles qu'elle souhaite avec Michel le lendemain matin plutôt que le soir même de son arrivée. Après ce délai, Michel finit par revenir vraiment à la maison et les choses se replacent, mais pour Corinne, il subsiste toujours une incompréhension : « Comment ça se fait que tu n'es pas plus content que ça de nous voir ? »

Elle comprend d'autant moins qu'elle nourrit pendant des jours l'excitation des retrouvailles et de la perspective de passer du temps en famille, d'aller ensemble voir le petit jouer au soccer. « Ça sera tellement extraordinaire ! On va se retrouver entre nous, là où on est le mieux. »

Du temps et de l'espace

Le solitaire, quand il est brusquement plongé dans une ambiance familiale ou amoureuse après une période de solitude et sans préparation, peut se sentir bousculé et met toujours un certain temps à s'adapter. Son côté dépendant peut le rendre encore plus sensible au bruit, au désordre et au manque de considération de ceux qui investissent tout à coup son univers sans respecter sa bulle.

Pour le fusionnel, laisser de l'air et du temps à l'autre peut lui sembler insupportable, mais cet inconfort est possiblement un signe qu'il doit lui-même aller s'occuper des autres domaines de sa vie : s'entraîner, voir des gens, profiter de la vie autrement que seulement par sa relation amoureuse. Et pour s'investir dans les autres sphères de sa vie, lui aussi doit prendre un peu de recul face à la relation.

« Qu'est-ce qu'on fait en fin de semaine ? »

Parfois, une question aussi banale que « Qu'est-ce qu'on fait en fin de semaine ? » est suffisante pour provoquer l'agacement de Marie, dépendante solitaire. Posée à brûle-pourpoint, la question de Léa, codépendante fusionnelle, n'est probablement pas innocente. Aux oreilles de Marie, en tout cas, elle est chargée de sous-entendus (on va se coller toute la fin de semaine, on va tout faire à deux...).

Marie, bien malgré elle, se sent immédiatement envahie, non pas par la perspective d'une fin de semaine à deux, mais par la question elle-même, qui porte une charge et qui la prend au dépourvu. Très franchement, elle n'a strictement aucune idée de ce qu'elle souhaite faire en fin de semaine et voilà que Léa la presse de décider, d'agir et de s'enthousiasmer, là, par la seule magie de l'amour ! Pas qu'une petite demande.

Instantanément, Marie veut se protéger contre l'envahissement : « Je ne sais pas encore, il est possible que j'aie à travailler... » « Mes papiers sont en retard, je voulais faire du ménage... » « On avait dit qu'on irait voir ma mère... » Bref, pas du tout ce que Léa voulait entendre. Quand elle se bute à la fermeture émotive de Marie, Léa se sent frustrée, seule et rejetée, en colère même et déçue.

Au sentiment d'envahissement de Marie s'ajoute alors le sentiment de rejet de Léa. Si rien n'est fait, la fin de semaine s'annonce frustrante pour toutes les deux. Léa ne ratera aucune occasion de faire sentir sa déception et Marie voudra fuir l'attente insistante de Léa, l'inconfort et la culpabilité.

Afin d'éviter ce cul-de-sac émotionnel, il faut aller plus loin que ces sentiments premiers d'envahissement ou de rejet.

D'abord, il est parfaitement légitime pour le fusionnel d'espérer passer du temps avec le solitaire, et sa question, même pleine de sous-entendus et d'attentes, n'est pas pour autant une tentative d'envahissement. Pas plus que la réaction du solitaire n'est un geste de rejet. Cette fermeture affichée n'est que son incapacité temporaire à savoir ce qu'il veut vraiment.

Ce qui apparaît donc comme un geste de rejet du solitaire doit plutôt être vu comme l'imposition – sans doute maladroite – d'une limite face au fusionnel. Il a besoin de temps pour comprendre ce qu'il désire véritablement face à la question elle-même. Marie est-elle disponible ou non pour un éventuel week-end amoureux ? Le ménage des papiers ou la visite à sa mère pressent-ils tant qu'elle serait prête à sacrifier un week-end d'intimité avec la personne qu'elle aime ? Probablement que non, mais s'il n'a pas le temps de toucher l'émotion véritable que suscite cette question, le solitaire réagira uniquement pour calmer les attentes du fusionnel.

Le fusionnel, malgré la réaction décevante du solitaire, doit lui accorder l'espace et le temps qu'il exige, car même en insistant, ses chances d'obtenir la réponse spontanée et enthousiaste qu'il souhaitait sont minces. Plus le fusionnel se fait insistant, plus le solitaire souhaite prendre ses distances.

Les défis du couple fusionnel-solitaire

L'attitude responsable pour favoriser l'autonomie affective dans le couple serait, pour le fusionnel, d'exprimer clairement son besoin de passer du temps de qualité avec l'autre, sans tenir pour acquis que le solitaire sautera sur la première occasion, et lui laisser le temps et l'espace pour s'ennuyer, tout simplement. Le solitaire doit avoir un peu de temps pour nourrir son désir de l'autre, ce qui est impossible si l'insistance du fusionnel est incessante.

Pour sa part, le solitaire doit comprendre ce besoin, même s'il est plus ou moins bien exprimé, et en tenir compte. Peut-être pourrait-il se détourner un peu du tourbillon qu'est sa vie professionnelle ou sociale, pour favoriser sa vie de couple et sa vie de famille.

Quant au fusionnel, qui souffre des absences du solitaire parti faire de la musique, jouer au hockey ou simplement passer du temps avec un ami, il devrait se permettre aussi de faire ses activités, s'occuper de ses amis ou aller au gym sans se soucier de l'autre, juste parce que c'est le moment d'y aller et qu'il en a envie.

Le solitaire lui dit en quelque sorte : « Épanouis-toi dans toutes les facettes de ta vie, sois moins présent à moi et plus aux autres personnes qui t'entourent. Cela créera un espace entre nous qui me permettra d'aller vers toi. »

Le solitaire constitue le meilleur professeur pour le fusionnel en lui indiquant, par l'exemple, comment accéder à l'autonomie.

Rationnel et émotif

CHAPITRE 4

Vous ressentez les choses ou vous les comprenez ? Toute la différence est là. Si vous êtes émotif, parlez-vous le rationnel ? Et vous, les rationnels, baragouinez-vous un peu l'émotif ? Pas tant que ça ? Vous auriez avantage les uns et les autres à vous inscrire rapidement au cours « Langage de l'autre 101 », et ça presse, car l'enjeu que présente la dualité émotif/rationnel[9] dans le couple en est un de communication.

Qu'est-ce qu'un rationnel ?

Le rationnel aborde la vie en tentant de la comprendre intellectuellement et de l'expliquer par la parole. Il a besoin de faits, de détails et d'un maximum d'informations pour saisir le monde qui l'entoure et se sécuriser. Tout cela l'éloigne toutefois de l'émotion.

Si on l'invite à une fête ou à un événement, le rationnel s'informe du but de la soirée, de l'heure, des gens qui seront présents, du code vestimentaire, s'il y a lieu, et du menu, si c'est possible. Prenons l'exemple de Francis, un rationnel, dont l'amie l'invite à venir essayer le nouveau resto indien qui a ouvert récemment au centre-ville. Sa réflexion se fait très vite : « Mardi ! En pleine semaine ! » D'abord, il aura sa journée dans le corps ; il risque d'hypothéquer

9. Les notions du rationnel et de l'émotif sont inspirées de Colette Portelance, TRA, thérapeute en relation d'aide[MD], pédagogue et auteure à succès de plusieurs ouvrages, dont *Relation d'aide et amour de soi*, Éditions du Cram, 2015.

son mercredi ; sans compter les problèmes de stationnement et le fait que ça va coûter cher, pour de la nourriture indienne, qui n'a jamais eu sa préférence, etc. En une fraction de seconde, Francis a vu tous les éléments qui vont nuire à son expérience, plutôt que de se dire : « M'en fous, je vais passer un bon moment avec une amie et c'est ça l'important. »

La préoccupation du rationnel est d'obtenir l'information qui lui permettra de décider s'il souhaite ou non se prêter à l'expérience. Pour un rationnel, par exemple, il est toujours un peu déroutant d'arriver dans un lieu inconnu à la noirceur. Ce n'est souvent que le lendemain, à la lumière du jour, qu'il peut établir ses repères et comprendre le lieu où il se trouve.

Le dépendant rationnel

Le dépendant rationnel est un être qui sait tout, qui explique tout, qui a réponse à tout et en met plein la vue. Difficile de le piéger sur les faits, car il est passé maître dans l'art de justifier chacune de ses actions, chacune de ses décisions et prises de position.

Le dépendant rationnel justifie son point de vue, son opinion, ce qu'il souhaite ou exige par des mots, des avalanches de mots dans lesquels l'autre se perd un peu.

Le codépendant rationnel

Le codépendant rationnel est certain qu'il a raison et sait qu'il a raison d'avoir raison...

Lui, il réfléchit et il agit, mais il ne ressent pas beaucoup. En fait, il est complètement détaché de son monde émotif. Face à une situation difficile, il considère qu'il n'y a pas lieu de s'énerver, ce qui explique peut-être qu'il soit rapide à porter des jugements, tant sur lui-même, quand il perd le contrôle, que sur les autres. Il s'efforce et réussit très bien à demeurer un peu au-dessus de ses affaires et il a peut-être tendance à prendre les choses et les gens de haut. Seul un dépendant émotif, spontané et portant une charge émotive puissante parvient à percer la carapace du codépendant rationnel et lui fait ressentir plus profondément les situations.

Qu'est-ce qu'un émotif ?

À l'autre bout du spectre, l'émotif perçoit d'abord le monde par intuition, à travers les émotions qu'il lui inspire, grâce aux ondes qui se dégagent des lieux et des gens. C'est souvent un être de peu de mots, surtout s'il est submergé par l'émotion, positive ou négative.

Prenons un exemple simple bien que tragique. Devant une scène d'incendie, l'émotif est marqué par l'intensité du moment, le brouhaha des pompiers qui interviennent, les curieux qui s'agglutinent, les pauvres victimes en pyjama qui pleurent... alors que le rationnel comptera le nombre de camions de pompiers, tentera de comprendre la stratégie d'intervention, le fonctionnement de la grande échelle ou le montant des dommages. Même situation, deux visions complètement différentes.

L'émotif peut oublier des mots et des propos entendus, même ceux qu'il a dits lui-même, mais il n'oubliera pas facilement une expérience émotive. Il peut très bien recommander un restaurant où la nourriture était ordinaire, mais où le serveur était particulièrement sympathique et professionnel, et déconseiller un autre resto où la nourriture était excellente, mais le service trop familier et désagréable. Si, au hasard de la vie, il retourne s'asseoir à cette table, la seule façon possible pour lui de modifier son opinion est de vivre une nouvelle expérience, positive celle-là, avec un nouveau serveur. C'est tout le resto qui, à ses yeux, regagne alors sa réputation.

Une question de *feeling*...

L'émotif fonctionne au *feeling*. Il accorde beaucoup d'importance à sa petite voix intérieure et fait confiance à ses élans spontanés pour le guider dans ses choix. Prenons l'exemple de Carolane qui, à partir d'une intuition, d'un *feeling* attrapé au vol et totalement imprévu, décide à deux minutes d'avis d'aller voir un film dont elle vient d'apercevoir l'affiche en passant devant le cinéma, simplement en se fiant au visuel et au titre. Bien qu'elle ne sache rien du synopsis, qu'elle ne connaisse ni les comédiens ni la réalisatrice et qu'elle n'ait lu aucune critique, elle a l'intuition qu'elle ne sera pas déçue. D'expérience, elle sait que ses élans spontanés du même genre lui ont souvent permis de vivre des expériences culturelles inoubliables.

Si son *feeling* est bon, cela suffit à l'émotif pour être sûr de passer une bonne soirée. Il peut se prêter à des expériences, des exercices, des rencontres, des invitations sans avoir tous les détails dont le rationnel a besoin, car l'émotif y va selon l'impression du moment.

À court de mots
Un couple en voyage dans le Sud se tape huit jours de pluie abondante. Le dépendant rationnel n'a pas assez de mots pour exprimer sa mauvaise humeur. Il bardasse, il est un peu brusque avec le personnel, scrute les sites météo à la recherche de prévisions encourageantes. Rien à faire, le voyage risque de se terminer comme il a commencé, dans la flotte. Voyant sa conjointe, qui subit la situation sans dire un mot, il s'exclame : « Mais dis quelque chose ! » En typique émotive, celle-ci se contente de répondre : « Je suis déçue. » En trois mots, elle a exprimé du mieux qu'elle le pouvait comment elle se sentait. Tout était dit.

Pour un émotif, verbaliser ses réflexions ou son ressenti n'est pas chose facile. En général, les systèmes d'éducation occidentaux sont pensés par et pour les rationnels. Pour cette raison, plusieurs émotifs ont compris que, pour être acceptés et crédibles dans un milieu hautement rationnel, ils devaient devenir des êtres de beaucoup de mots. Il existe beaucoup d'émotifs verbomoteurs, mais ce sont plutôt des raconteurs, qui mettent en contexte les informations, qui relatent des choses pour les expliquer. Bien des émotifs sont déguisés en rationnels pour répondre aux attentes de la société.

L'ÉMOTIF

Je t'aime !

LE RATIONNEL

Qu'est-ce que tu aimes au juste ?

Le dépendant émotif

Un dépendant émotif est naturellement tourné vers ses propres besoins et branché sur son monde intérieur, ce qui peut faire de lui un monstre d'égoïsme et d'égocentrisme. Il vit les joies comme les peines toujours un peu plus intensément que les autres. Il est un peu plus grognon ou de bonne humeur que tout le monde.

Avec un dépendant émotif d'une nature « joviale », les choses sont toujours extraordinaires. Il manque de superlatifs pour exprimer à quel point il s'entend bien avec son partenaire et décrire l'expérience hors du commun vécue le week-end précédent dans une auberge des Laurentides. Sa vie va parfaitement bien et lui « pète le feu ».

Si le dépendant émotif est plus « bourru », sa vie n'est que souffrances ; il en a constamment « plein son casque » et menace régulièrement de tout balancer par-dessus bord. Il s'apitoie sur son sort et devient victime, constamment à déplorer, à dénoncer et à se plaindre, sans jamais passer à l'action pour y changer quelque chose.

Par la positive ou par la négative, le dépendant émotif peut être difficile à supporter parfois. Il impose sa charge émotive et son égocentrisme à son entourage, qui doit les subir. Ce qui peut jouer en sa faveur est qu'il soit jumelé à un codépendant rationnel, qui saura l'accompagner, le tempérer et peut-être le rendre heureux malgré tout.

La foi aveugle de l'émotif

Elle est codépendante rationnelle, de nature plutôt anxieuse, et lui, un dépendant émotif, jovial et plutôt confiant. Ils se trouvent, à un certain moment, placés devant une grosse dépense totalement imprévue, mais incontournable. C'est elle qui tient les comptes et elle a beau jongler avec les chiffres, tous ses calculs arrivent au même résultat : « On n'y arrivera pas. J'ai tout regardé jusque dans les détails et il manque 5000 $. »

Rationnellement, elle lui explique tous ces chiffres, qu'elle connaît par cœur et à la virgule près, tellement elle a jonglé avec eux dans sa tête. Pour elle, c'est clair : ils se dirigent tout droit vers la faillite, l'huissier, la saisie et autres catastrophes du genre.

C'est là qu'intervient l'émotif, pour décanter le problème et aider à calmer l'angoisse. Tout ce qu'il peut lui dire, par contre, c'est : « Ça va être correct. On va faire ce qu'on a à faire et on verra bien. »

Il affiche une belle assurance, mais il se peut qu'il dorme mal la nuit. La pression est forte et comporte pour lui une lourde charge émotive. Peut-être qu'il va se planter, mais il fait confiance, sans rien d'autre vraiment qu'un bon *feeling*.

Malgré le tableau noir dressé par la rationnelle, ce Roger-bontemps n'est pas prêt à jeter la serviette. « Je ne sais pas comment te l'expliquer, mais ça va être correct. » C'est à peu près tout ce qu'il peut en dire, mais, en lui, il en vient à établir un genre de plan, même très approximatif, pour faire face à la dépense. Il se dit qu'il reste un peu de place sur la marge de crédit et fait le tour dans sa tête des gens qui seraient peut-être disposés à leur prêter l'argent. C'est un plan vague et incertain ; en fait, pour l'essentiel, son plan, c'est de faire confiance.

Lorsqu'il est positif, l'émotif fait confiance. Il ne sait pas d'où va venir l'argent, il ne sait pas comment, mais il est certain que tout ira bien par une foi presque enfantine, une intuition qui défie la logique. Lorsqu'il est plutôt de nature pessimiste, l'émotif sera envahi par la situation et convaincu, comme la rationnelle, qu'ils vont tout perdre. Dans une telle situation, les partenaires devraient être vigilants, car ils risquent de s'entraîner l'un et l'autre vers le bas.

Le codépendant émotif

Le codépendant, soucieux du bien-être des autres, assume avec d'autant plus d'ardeur sa mission de sauveur s'il est un émotif qui n'écoute que son cœur. Tout ce qu'il fait est justifié par son élan envers les autres.

Il faut prendre bien soin du codépendant émotif, car il traverse le monde et la vie toutes voiles dehors. Pour peu qu'il s'émeuve sur le sort de l'un ou de l'autre, s'il perçoit la souffrance, si son émotion est touchée, il répond à l'appel. Il devra peut-être se prémunir contre lui-même et son grand cœur s'il ne veut pas se perdre dans la souffrance des autres.

L'émotif altruiste, le rationnel sans-cœur ?

Je me souviens d'un couple avec qui j'ai travaillé, appelons-les Viviane et André, propriétaires d'un immeuble à logements. Parmi leurs locataires, M. Huot était déjà installé bien avant que le couple achète la propriété. André est un dépendant rationnel et Viviane, une codépendante émotive. Ils se sont liés d'amitié avec M. Huot, qui n'avait pratiquement plus de famille pour le soutenir. André et Viviane sont devenus plus que des propriétaires pour lui. Le voyant en quelque sorte comme le père qu'elle n'avait jamais eu, Viviane l'a vite pris sous son aile, faisant régulièrement de petites courses pour l'aider.

Un jour, après une suite d'incidents plus ou moins anodins, il devint évident que M. Huot, dont la santé et les facultés cognitives chancelaient, était en perte d'autonomie. Viviane tenta d'imaginer toutes sortes de façon d'aider leur vieil ami. Elle lui préparait des repas, faisait plus souvent ses courses et lui tenait compagnie. André soutenait les efforts de Viviane, même si, dans sa tête, il était évident que l'état de M. Huot se détériorait et qu'il aurait bientôt besoin d'une assistance plus soutenue et permanente. Le vieil homme allait devoir abandonner sa voiture, cesser ses loisirs et probablement quitter son appartement pour être pris en charge par une institution de soins de longue durée.

André se préoccupait du fait que le logement de M. Huot n'avait pour ainsi dire pas changé au cours des trente et quelque années qu'il y avait demeuré. Pour pouvoir le louer au même prix que des logements comparables dans le quartier, il devrait moderniser la cuisine et la salle de bain, changer le réservoir à eau chaude, repeindre, etc. Cela allait représenter des frais et demander du temps. Oui, c'est épouvantable à dire, mais André aurait bien voulu pouvoir commencer les travaux le plus tôt possible. Le premier juillet arrivait à grands pas.

L'opposition entre André et Viviane est survenue quand cette dernière a proposé de suspendre pour un mois ou deux le paiement du loyer de M. Huot, pour lui permettre de s'inscrire à un programme d'exercices censé faire des miracles pour prolonger la santé cognitive.

Pour André, la question ne se posait pas, car la réponse était non. Il expliqua pourquoi à Viviane et, à mesure qu'elle l'écoutait parler de travaux, de hausse de loyer et de comparables du quartier, son regard vers André se chargeait de colère.

La codépendante émotive n'avait rien à faire de toutes ces considérations futiles et elle en voulait à André d'en parler, tandis que le bon monsieur vivait encore dans le logis. « On dirait que tu veux t'en débarrasser ! Vas-y, mets-le à la rue, pendant que tu y es ! Je pensais vraiment que tu avais plus de cœur que ça. »

Bien des dépendants rationnels sont souvent perçus par les émotifs comme des égoïstes insensibles et incapables d'empathie, alors qu'il s'agit plutôt de l'expression de leur insécurité. Un dépendant rationnel satisfait a d'abord pu se faire une tête avant de considérer l'émotion.

Dans les faits, André, qui aimait beaucoup M. Huot, a collaboré étroitement avec Viviane pour lui trouver la meilleure résidence possible.

« Tu dramatises, tu exagères toujours... »

Comme l'émotif et le rationnel ne parlent pas le même langage et n'accordent pas d'importance aux mêmes éléments dans une situation, il est tentant pour l'un ou l'autre d'invalider ce que son partenaire lui exprime. Un exemple précis me revient en mémoire. Il s'agit de Carl, dépendant rationnel, marié à Audrey, codépendante émotive. Ils sont les parents d'une fille unique, Agathe, que Carl encourage à se dépasser, mais qu'Audrey tente de protéger contre les dangers du monde.

En bon père rationnel, Carl essaie d'être le parent le plus « éducatif » possible. Il n'hésite pas à placer Agathe dans des situations nouvelles, parfois inconfortables, pour lui apprendre l'autonomie. Il n'a pas de scrupule à lui imposer des limites et à sévir au besoin si elle les transgresse. Il accepte que sa fille soit mécontente et qu'elle lui en veuille de temps en temps. Elle le remerciera un jour, se dit-il.

Audrey, au contraire, fait tout en son pouvoir pour éviter à sa fille toute forme de malaise et de souffrance, toujours et en tous lieux. C'est une mère très enveloppante et protectrice, qui est à l'affût des signes de fatigue et de stress chez sa fille et des malaises qu'elle pourrait vivre.

Malheureusement pour elle, Agathe se passionne pour le hockey et fait même partie de l'équipe mixte de hockey pee-wee de sa région. Carl en est très fier, car sa fille se démarque au tableau des compteurs de la ligue, garçons et filles confondus. Pour lui, le hockey, l'équipe et la compétition vont aider Agathe à apprendre des choses de la vie : l'esprit sportif, l'émulation, la discipline et quoi d'autre.

La situation se corse entre les parents le jour où l'équipe d'Agathe termine la saison régulière en excellente position et que ses chances de remporter la coupe deviennent plus que bonnes. À condition, bien sûr, de mettre les bouchées doubles et d'augmenter la cadence des entraînements.

Mais lorsque l'entraîneur de l'équipe impose une cinquième période d'entraînement dans la semaine, Audrey s'y oppose vivement. Entre l'école, les amis et les tâches, cinq séances d'entraînement, c'est trop ! Elle trouve Agathe cernée et fatiguée. « On ne va pas mettre la santé de notre fille en péril pour du hockey. » Le bien-être d'Agathe est largement plus important que le sort de l'équipe.

Carl n'est pas d'accord et il proteste. Agathe n'est pas si cernée que ça et elle est capable d'en prendre. Oui, c'est exigeant, mais elle vit une expérience exaltante. Pas question de la ralentir ou de l'exclure du groupe. Il a beau expliquer à Audrey le classement, les statistiques, les autres joueurs et l'importance d'Agathe dans l'équipe, rien n'y fait. L'intensité émotive avec laquelle Audrey vit les choses n'est pas perceptible par Carl, ce qui la discrédite à ses yeux. « Tu dramatises ! Tu exagères ! Comme toujours ! »

Pour lui, le problème n'est pas la fatigue d'Agathe, mais plutôt les peurs déraisonnables d'Audrey, qu'elle projette sur la réalité de sa fille. Pendant qu'elle vit son flot d'émotions, Carl sent que son propre monde émotif à lui est secoué. Il ressent beaucoup de colère et de frustration, ce qu'il comprend mal et qu'il n'est surtout pas prêt à explorer. Il cherche donc à fuir en niant la légitimité des émotions vécues par Audrey.

Dans les faits, Carl aussi fait beaucoup de projection sur sa fille. Bien sûr, il veut donner à Agathe toutes les chances possibles d'avancer dans la vie et de réussir, mais, en bon dépendant, il fait rarement les choses par pur altruisme. Lui aussi y trouve son compte. Pour Carl, le succès de sa fille est une grande source de fierté, sa fierté à lui d'abord. Il est valorisé personnellement par les succès d'Agathe au sein de l'équipe et la confiance que l'entraîneur lui accorde. Toutes ces marques de reconnaissance rejaillissent sur lui. Au sein du groupe de parents, il est le père de la meilleure marqueuse.

Carl devra prendre conscience de cette façon qu'il a de ramener à lui les succès d'Agathe. Peut-être qu'Audrey nourrit une peur exagérée, mais lui doit comprendre que le regard qu'il porte sur toute la situation est biaisé par ses propres besoins.

Bref, Carl aurait tout avantage à cesser d'argumenter et de justifier son point de vue ; il devrait simplement accueillir l'inquiétude d'Audrey et aider cette dernière à mettre des mots sur son malaise. Pas nécessairement pour lui donner raison, mais simplement pour reconnaître et laisser place à l'émotion, sans la dénigrer. L'émotif n'a besoin que d'accueil et non d'un « Pourquoi tu pleures ? », « Tu es trop intense ! » ou n'importe quelle autre phrase chargée de jugement.

Les défis du couple rationnel-émotif

En début de relation, l'émotif tombe sous le charme du rationnel, comme hypnotisé par son intelligence, son humour, sa façon naturelle de s'exprimer et de mettre des mots sur la réalité. Le rationnel a donc tout pour séduire l'émotif.

Quant au rationnel, il est fasciné par l'attitude de l'émotif qui, par sa simple présence, nourrit la relation. Le rationnel est touché par les qualités de cœur de l'émotif qui transcendent les mots. Pour peu qu'il se prête au jeu, le rationnel pourra vivre et ressentir les choses autrement, grâce à l'émotif.

L'enjeu pour le couple rationnel-émotif concerne la communication. Si le dépendant rationnel formule un besoin et dit « J'ai faim », aussitôt le codépendant émotif réagit en fonction de l'émotion que suscite en lui ce besoin si clairement exprimé et se sent interpellé. « Oui, mais j'étais super occupé, je n'ai pas eu le temps, je suis arrivé plus tard... » Il risque de se mettre en mode défensif dans ses échanges.

C'est souvent lors de discussions difficiles ou de conflits que s'exprime le plus clairement la différence entre l'émotif et le rationnel au sein du couple. On tente de se parler, de s'expliquer, on ne se comprend pas, le ton se raidit, le rationnel prend la parole et finit par « soûler » l'émotif par son avalanche de mots et lui faire perdre de vue le sujet de la conversation. Au bord des larmes, l'émotif aurait toutefois bien du mal à nommer l'émotion qui l'envahit.

Le défi pour le rationnel est de se taire pour ressentir son état intérieur et laisser à l'émotion de l'autre un peu de place pour s'exprimer et être reconnue. Pour sa part, l'émotif doit faire l'effort de mettre des mots sur ce qu'il ressent. Et la seule façon pour lui d'y parvenir est de sentir que son émotion est légitime et prise en considération dans la discussion.

Il s'agit souvent de peu, montrer d'abord que l'on est disposé à avoir cette conversation, sinon, prendre un rendez-vous ferme et s'y tenir. Par ailleurs, un simple geste suffit souvent pour reconnaître et honorer l'émotion de l'autre : offrir à boire, inviter l'autre à avoir cette conversation confortablement assis au salon ; arrêter de faire ce qu'on fait pour véritablement écouter ; ne pas tenter d'argumenter ou de combler les silences pendant que l'autre cherche à parler ; ne pas lui mettre des paroles dans la bouche, ne pas présupposer de ce qu'il va dire ; sourire, injecter un peu d'humour si la situation le permet, car, au contraire, il ne faut pas tenter de tout tourner à la blague ni tenter d'expédier la conversation par des promesses creuses. Bref, il faut parler peu, mais parler vrai.

Parfois, une seule parole sincère suffit à confirmer que l'émotion de l'autre est accueillie et respectée. Tant et aussi longtemps que cette condition n'est pas remplie, la communication raisonnée que tente d'établir le rationnel est impossible. C'est un peu cela, pour le rationnel, apprendre à parler « l'émotif ».

Le défi pour le rationnel est de se taire pour ressentir son état intérieur et laisser à l'émotion de l'autre un peu de place pour s'exprimer et être reconnue. Pour sa part, l'émotif doit faire l'effort de mettre des mots sur ce qu'il ressent.

Actif et rêveur

CHAPITRE 5

La rencontre de l'actif et du rêveur, c'est comme la rencontre d'une liste de « to do » et d'un roman d'amour ou, si vous préférez, la rencontre d'un trampoline et d'un hamac. Il y a un *clash*. Plus encore, c'est comme tenter de conjuguer dans la même phrase le verbe « faire » et le verbe « être » au même temps.

Qu'est-ce qu'un actif ?

Pour être bien, l'actif a besoin d'être en action, de réaliser des choses, de démarrer au quart de tour. C'est son mode, sa fierté et sa façon de faire. À tel point qu'il aura de la difficulté à aller se reposer s'il reste de la vaisselle dans le lavabo, des feuilles mortes à ramasser, le ménage à terminer, etc.

Devant une liste de choses à faire, il est impossible pour lui de ne pas se mettre en action. S'il doit choisir entre accomplir ses tâches et profiter de la vie, la décision n'est pas difficile, c'est la liste. Faut passer à travers ! Pas le choix !

L'actif fait ce qui doit être fait tout en nourrissant l'illusion que, après avoir accompli toutes ses missions, il pourra se rendre disponible au reste de sa vie et à l'intimité amoureuse que propose et réclame son ou sa partenaire. L'actif entretient la chimère selon laquelle il finira un jour par atteindre ce havre de paix où il n'y aura plus rien à faire, ce qui est faux puisqu'il trouvera toujours quelque chose d'inachevé.

L'actif a de la difficulté à se déposer et rate souvent des occasions dans la vie de tous les jours. Il passe à côté des moments gratuits que la vie nous offre pour contempler un coucher de soleil, savourer un instant de gratitude, être touché par l'enthousiasme de la conversation avec son adolescent.

La préparation du souper, qui est souvent l'occasion d'un moment d'intimité où on se raconte sa journée, donne à l'actif performant tout juste le temps de démarrer une lessive, de plier le linge resté dans la sécheuse et de dépouiller le courrier. Il aime que les choses soient faites et que ça paraisse. C'est important pour son bien-être, mais pendant qu'il s'active, il n'est pas disponible à la relation.

Ayant besoin que tout soit sous contrôle, l'actif n'est pas bien si les choses ne sont pas faites et bien compartimentées. Malgré sa grande capacité à exécuter des tâches et sa rapidité, il doute souvent de lui et répond toujours à un certain sentiment d'urgence, sinon de panique. Il oublie parfois à quel point il est efficace.

Le profil type de l'employé parfait

L'actif possède toutes les qualités de rapidité, d'organisation et d'efficacité qui sont tellement glorifiées à notre époque et dans notre société. Il est souvent très vite repéré par ses employeurs et il est naturel d'attendre d'un actif qu'il en fasse toujours un peu plus, qu'il accepte plus de responsabilités, plus de charges, jusqu'à ce que ce soit trop et qu'il n'ait plus de disponibilités ni de disposition pour la vie de couple.

L'actif vit pour entreprendre, régler, achever des choses pour lui-même, pour son travail et dans la vie au quotidien. Il tient d'ailleurs souvent une liste perpétuelle de « to do » et la consulte régulièrement. Dès qu'il a deux minutes, il ne manque pas de faire avancer telle ou telle besogne, tel ou tel projet. Il est très fier de sa grande capacité à s'acquitter de toutes ces tâches et ce qu'il adore par-dessus tout est de rayer sur sa liste celles qu'il a accomplies. Peu de choses lui procurent autant de satisfaction dans la vie.

Le dépendant actif

Le dépendant actif est super efficace et opérationnel, mais il n'arrête pas de se plaindre. Bref, il fait tout, mais il chiale tout le long : « Ah ! Je suis fatigué », « Que ce n'est donc pas drôle », « Plein de contrats en même temps, c'est trop, et l'hiver qui n'en finit plus ».

Si le dépendant actif décrète que les week-ends sont réservés à la vie de couple, il va s'assurer que ces moments sont impérativement riches en activités et en intensité. Autrement, il a l'impression qu'il passe à côté de l'action et que sa vie est plate. Selon sa conception des choses, quand des amoureux sont ensemble, ça doit toujours être intense et palpitant.

Le dépendant actif a besoin de l'approbation des autres, particulièrement de son partenaire amoureux. Il lui arrive parfois d'être aux petits soins avec l'autre, en s'assurant qu'il ne manque de rien ; il va partir son véhicule un matin de froid intense, arrêter au marché pour acheter ce qui manque, faire la lessive pour alléger ses tâches, voir à l'entretien des véhicules, passer chez le nettoyeur, acheter les articles scolaires, etc. Un peu comme le fait le codépendant, mais avec des intentions et une motivation souvent bien différentes.

D'abord, il choisit des tâches qui l'intéressent, lui, ou qui sont moins contraignantes et cadrent avec ses champs d'intérêt. Ensuite, il est rempli d'attentes et de désir de reconnaissance pour sa contribution au bien-être de la famille ou du couple.

Le dépendant actif est valorisé par tout ce qui l'aide à se définir aux yeux des autres. Il est habituellement très habile à énumérer sans aucune pudeur tout ce qu'il a réussi, accompli et réalisé.

Lorsqu'il décide de s'investir dans une nouvelle activité, un nouveau projet ou pour une cause qui le touche, il le fait de façon intense et passionnée. Il est très pris par ce nouveau défi et il y réfléchit constamment. Son implication est quasi absolue et se vit parfois, malheureusement, au détriment des autres domaines de sa vie.

Il se doit donc d'être vigilant pour ne pas se laisser envahir et pour rester présent aux autres. Il doit aussi apprendre à calmer ses ardeurs, car l'insécurité qui nourrit son côté dépendant, jumelée à son caractère d'actif, risque de le pousser vers la fuite en avant que représentent toutes ses passions et son désir de reconnaissance.

Le codépendant actif

Dans la grande compétition universelle des gens qui courent d'une tâche à l'autre, le peloton de tête est constitué presque uniquement de codépendants actifs. Ce sont de véritables athlètes. Ils (et, très souvent, elles) ont les deux caractéristiques requises : la codépendance, qui nourrit constamment leur liste de « to do », et leur caractère actif, qui leur donne le goût de passer à travers.

Prenons par exemple ces superwomen, mères de trois enfants, avec tout ce que ça comporte de lunchs, de rendez-vous chez le dentiste, d'activités parascolaires, etc., qui occupent souvent des postes de responsabilité, qui ont une vie sociale active, qui sont membres de comités de parents et qui « bénévolent » ici et là de temps en temps, etc. Ce sont fort probablement des codépendantes actives. On en connaît tous de ces personnes, ou on souhaiterait en connaître une. Elles sont généralement très serviables, mais toute cette énergie, tout ce branle-bas de combat perpétuel, finit par prendre la plus grande place dans leur vie. Ce qui fait que le dépendant rêveur du couple doit travailler fort pour attraper le codépendant actif et capter son attention.

Le codépendant actif a évidemment tendance à surcharger son horaire. Il peut tenter de faire tenir en un après-midi toutes les tâches qu'une personne normale fait en une journée. Inévitablement, il en échappe et, plutôt que de revoir ses plans, il persiste et passe souvent à côté de l'essentiel.

Un client, appelons-le Julien, m'a raconté le récit de cette journée de la Saint-Valentin où il avait décidé de faire un petit spécial pour sa femme. Un beau cas de codépendant actif qui n'en a que pour sa liste de « to do ». Julien avait donc décidé de jouer le grand jeu à sa partenaire pour célébrer leur amour comme il se doit : fleurs, chandelles, bain chaud et plus, plus, plus.

Il avait même pris congé cet après-midi-là pour d'abord passer au petit resto de sushis réputé pour faire les meilleurs en ville ; il prévoyait également aller chez le fleuriste, revenir à la maison, préparer une jolie table, choisir de la musique, créer une ambiance, et tout, et tout. Qui peut résister à pareille proposition ? Pas sa femme, ça, c'est sûr.

Évidemment, Julien s'est dit qu'il n'allait certainement pas prendre tout son après-midi pour simplement acheter des sushis et des fleurs, revenir chez lui et mettre une belle table. Quand même ! C'est mal le connaître.

Il a alors consulté sa précieuse liste de choses à faire en se disant qu'il aurait bien le temps de régler quelques dossiers. Il téléphona d'abord à son concessionnaire automobile pour faire réparer le contrôle électronique d'une fenêtre. Il put s'y rendre immédiatement. Il avait aussi amplement le temps de passer chez le nettoyeur, de faire un saut à la quincaillerie et de rappeler son assureur, qui lui avait laissé un message le matin même.

Mais voilà, rien n'a fonctionné comme prévu. Julien s'est d'abord buté au petit resto archi bondé. Une bonne trentaine de clients, comme lui, avaient eu l'idée du souper chandelle et sushis et attendaient pour passer leur commande. Il n'avait pas le temps de patienter, car on l'attendait chez le concessionnaire. La visite, qui ne devait durer qu'une petite demi-heure, lui prit près de deux heures. Il en profita pour téléphoner à son assureur qui l'informa qu'il manquait une pièce au dossier pour une réclamation effectuée plusieurs mois plus tôt. Il quitta le garage un peu exaspéré du temps d'attente et de sa conversation avec l'assureur. « On ne pourra pas vous rembourser sans cette pièce », lui avait-on dit.

Sur le chemin du retour, un bouchon le garda prisonnier pendant une demi-heure, au cours de laquelle son anxiété augmenta à cause de la pièce manquante. Comment se faisait-il qu'elle n'était pas au dossier ? L'avait-il déjà eue ? Il se mit à craindre de l'avoir perdue.

Quand il sortit de son bouchon de circulation, il accéléra le rythme, tout en ouvrant l'œil pour voir s'il ne croisait pas un resto à sushis en chemin, mais peine perdue. À la quincaillerie, il ne trouva pas le type de pile qu'il recherchait. Il récupéra les vêtements chez le nettoyeur, mais l'idée des sushis devenait plus difficile à réaliser. Peut-être pourrait-il commander du poulet ? Sa femme aime bien en manger. Comble d'embêtement, le seul fleuriste dans son coin avait fermé ses portes six mois plus tôt et il n'en connaissait pas d'autres. Il dut s'arrêter dans un dépanneur pour acheter un petit bouquet. Au moins, il avait des fleurs.

Quand il se stationna finalement devant la maison, il oublia le bouquet sur le siège du passager. Sa femme était là et dégustait déjà un petit vin blanc, parfait pour l'apéro. Malheureusement pour elle, et pour lui, il ne la vit presque pas. Il entra en trombe dans la maison et se précipita dans le bureau, se sentant investi de la mission de trouver sur-le-champ la fameuse pièce manquante au dossier de l'assureur.

L'objectif premier de sa cavalcade était, rappelons-nous, de faire une surprise à sa femme et de lui jouer le grand jeu. C'était raté. Plutôt que de poursuivre son objectif, Julien s'en est tenu à sa liste et à son besoin irrépressible de passer à travers. Ce cas résume bien l'expérience de nombreux codépendants actifs rencontrés dans mon bureau.

Juste pour le plaisir des histoires qui finissent bien, disons que Julien a finalement retrouvé ce qu'il cherchait et que, une fois libéré de sa liste, il a pu se déposer, offrir son bouquet, commander le poulet et se rendre disponible pour vivre la fabuleuse soirée qu'avait imaginée son amoureuse, dépendante rêveuse.

Qu'est-ce qu'un rêveur ?

Si l'actif se concentre sur les choses à faire, le rêveur se concentre sur les choses à vivre.

Sa nature même, ses réflexes premiers, ses choix spontanés le poussent instinctivement vers la réalisation de ses aspirations profondes. Le rêveur favorise toujours l'idéal amoureux ou la promesse de cet idéal et les voies pour y accéder.

Il n'est pas pour autant perdu dans les nuages, décollé de la réalité ni insensible aux aléas de la vie, mais il n'a pas besoin que tout dans sa vie soit contrôlé pour se laisser aller à la relation et vivre sa passion.

Si, dans l'immédiat, l'occasion se présente de vivre un moment de détente, d'évasion ou, surtout, d'intimité avec l'être aimé, le rêveur accepte aisément de reporter au lendemain la tâche qu'il devait accomplir aujourd'hui. Il est toujours disposé à faire de la place dans son horaire aux expériences potentiellement nourrissantes qui se présentent spontanément dans sa vie.

Pour le rêveur, toutes les occasions sont bonnes pour raviver la flamme du début et demeurer le plus longtemps possible dans l'extase amoureuse. Il est sensible au romantisme et à la profondeur des échanges.

Le rêveur, surtout s'il possède aussi les caractéristiques du solitaire, peut se perdre pendant des heures dans l'observation d'un champignon en croissance, suivre le processus et prendre des dizaines et des dizaines de photos. Il faut dire que c'est un gros champignon et qu'on dirait qu'il y a une fée qui vit dedans, mais quand même… quatre-vingt-trois photos ?!

Un des risques qui guettent les rêveurs, toutefois, est de nourrir trop d'attentes en amour. Les rêveurs sont souvent nostalgiques des débuts de la relation et essaient très fort de recréer la magie des premiers moments. S'ils s'acharnent à vouloir atteindre l'euphorie présente au départ, ils risquent d'être déçus.

Le rêveur doit comprendre et accepter que ses aspirations doivent se concrétiser dans la vie réelle. Il doit toujours être capable d'adapter son rêve, de le rendre accessible et invitant pour l'autre, afin que ce dernier sente aussi le désir et le besoin d'y contribuer.

Le dépendant rêveur

Le dépendant a tendance à vouloir fuir l'inconfort et les désagréments, un réflexe que renforce et facilite son côté rêveur. Son monde intérieur est tellement plus intéressant que la tâche à accomplir ! Le dépendant rêveur doit mettre énormément d'énergie pour d'abord se mobiliser lui-même à entreprendre une tâche, mais ce n'est pas gagné pour autant.

Même quand il parvient à se mettre en action, il doit demeurer extrêmement vigilant pour ne pas se laisser happer par ses pensées, se laisser prendre par une télé restée allumée, un papier ou un objet ramassé au coin d'une table qui l'amène à dévier de son objectif premier. Le dépendant rêveur doit toujours se méfier de sa tendance naturelle à vouloir fuir les difficultés ou les responsabilités en laissant simplement les choses en plan.

Lorsque le rêveur laisse le courrier s'accumuler, cela insécurise l'actif. Le courrier sera probablement traité à temps, mais ça reste à voir, car quand le rêveur s'y met, il peut prendre la journée pour passer à travers, ce que l'actif ne comprend pas, car lui fait les choses rapidement et, généralement, au fur et à mesure. Quand le codépendant actif s'occupe de la paperasse, ça ne traîne pas. Il paie les factures, effectue les suivis et les renouvellements, fait les comptes et autres sans se poser de questions ni se demander s'il a envie ou non de faire ce qu'il fait.

Pour le dépendant rêveur, ouvrir et traiter le courrier est un moment de retour à la réalité, donc toujours un peu pénible pour lui. Ça et les retours d'appel, la prise de rendez-vous, la recherche de réparateurs, etc. Il répète souvent : « Je ne suis pas bon dans ça. »

Pour le dépendant rêveur, chaque facture, chaque avis, chaque pièce de correspondance officielle, chaque tâche qu'il considère comme inintéressante sont susceptibles de soulever une émotion ou une inquiétude potentiellement dérangeante pour sa paix intérieure. Alors il reporte à plus tard l'ouverture du courrier et c'est là qu'il risque de se causer lui-même plus de désagréments qu'il tente d'en éviter.

Disons les choses clairement, le dépendant rêveur privilégie souvent la facilité, le moindre effort, l'aveuglement volontaire pour tout ce qui touche l'intendance d'une maison, d'une famille. Il possède aussi d'excellentes dispositions pour la justification, la banalisation, la procrastination et l'évitement. « Pourquoi se compliquer la vie ? » est un peu sa devise.

Le plaisir avant tout

Le dépendant rêveur est motivé principalement par le plaisir. Comme il excelle dans la capacité de prioriser ses besoins et qu'il déteste gérer des inconforts, il choisit des situations et des événements riches en intensité et qui ont un impact positif sur sa vie à lui. Il est donc disposé à investir beaucoup de temps, d'énergie et d'efforts dans un projet qui le touche personnellement. Il est, dans ces conditions, passionné et soucieux de bien faire les choses pour être reconnu à sa juste valeur.

Dans ses rapports avec les enfants, le dépendant rêveur tente essentiellement de se faire aimer. On joue, on s'amuse, on fait la fête, on est en relation et on organise des événements incroyables. C'est un excellent candidat au titre de « Parent de l'année », car dans le fond il ne cherche qu'à se faire aimer de ses enfants. Le souper n'est pas prêt ? Ce n'est pas grave : pizza pour tout le monde ! Dans son univers à lui, il est permis de jouer plutôt que de faire des devoirs. On peut se coucher tard pour finir la partie et ne pas se brosser les dents. Le dépendant rêveur préfère le plaisir et n'aime pas beaucoup imposer la discipline.

D'ailleurs, cherchez-le quand une crise éclate et qu'il faut sévir contre un enfant. Il s'éclipse et laisse au codépendant actif le soin de faire la « salle besogne » de la discipline.

Le codépendant rêveur

Le codépendant rêveur va se servir de son côté rêveur pour s'échapper un peu de sa codépendance. Pour lui, un vrai cadeau de la vie, c'est quand quelque chose sur son horaire saute, même si c'est le résultat d'un pépin. Il assume pleinement ses responsabilités sans pour autant omettre des moments de qualité. C'est ce qui donne un sens aux tâches. Il sera peut-être à la dernière minute, mais il n'en est pas moins responsable de ce qu'il a à faire.

Un codépendant rêveur peut facilement faire contre mauvaise fortune bon cœur. J'ai entendu dans mon bureau l'anecdote d'une codépendante rêveuse, consultante en marketing, qui, un matin en partant pour le travail, a constaté que sa voiture avait une crevaison. Elle est revenue dans la maison, hilare, pour annoncer la bonne nouvelle à son amoureux : la vie lui faisait cadeau d'une belle journée de congé. Sa voiture n'était pas en état de rouler et, comme ils habitaient loin, le temps que quelqu'un vienne réparer le pneu, l'avant-midi allait y passer et ça ne vaudrait plus la peine de partir travailler. Elle se sentait comme si la rêveuse en elle donnait à la codépendante la permission de prendre congé de sa mission de sauver le monde pour la journée.

Son amoureux a vite réagi : on ne prend pas congé pour cause de crevaison ! Surtout pas une travailleuse autonome qui absorbe elle-même la perte nette de revenus d'une journée de travail, plus les coûts de la réparation du pneu crevé. Ça faisait un congé qui revenait cher... Rattrapée par la réalité, elle a dû admettre avec regret qu'elle n'en avait pas vraiment les moyens. Mais sa réaction première a été de voir là une occasion de vivre sa vie rêvée. Si elle avait pu se le permettre, il est certain qu'elle aurait pris sa journée de congé.

Puisque le codépendant cherche et trouve des solutions, celui de type rêveur a le pouvoir de transformer un aléa en cadeau de la vie. Une autre cliente m'a confié un jour avoir trop tardé à effectuer les achats pour la rentrée scolaire de son fils, qui entrait en première année. Elle s'en voulait bien un peu, mais elle fut heureuse de pouvoir le faire le jour même de la rentrée. Dans un magasin pratiquement vide, elle a pu choisir les articles scolaires tranquillement, sans se faire bousculer. Avec son fils, elle a passé un bon moment, car il n'est pas allé à l'école cette journée-là.

Un parent codépendant actif ne pourrait même pas imaginer vivre une telle situation. Il préférerait plutôt faire ouvrir le magasin pendant la nuit précédant la rentrée que de garder son fils avec lui la première journée d'école. « C'est tellement important, une première journée ! » Vraiment ?

Le codépendant est principalement centré sur les besoins des autres, mais son côté rêveur lui permet de se dégager un peu de sa mission, de se reposer et, ainsi, de profiter simplement de la vie. Il aura donc une grande capacité à savourer des moments d'intimité amoureuse. En famille, la qualité relationnelle est au cœur de ses priorités. Alors, même s'il se met au service des autres, il est nourri intérieurement par la présence des gens qu'il aime et qu'il respecte. Il a toujours du temps à consacrer à son amoureux, à sa famille et à ses collègues.

Le codépendant rêveur s'investit souvent dans l'accompagnement sportif des enfants ou dans le soutien de l'être aimé qui poursuit un projet professionnel, ou fait preuve de beaucoup de bienveillance pour une belle-mère vieillissante. Les gens qui l'entourent sont souvent sa plus grande richesse.

Une cliente me racontait que son couple traversait une période financièrement plus difficile. Son mari, un dépendant actif, vivait une transition vers une nouvelle carrière, ce qui l'angoissait beaucoup. Très anxieux face aux problèmes financiers, il était impatient que la situation se rétablisse, mais il devenait bougon et résistait fortement aux occasions de prendre du bon temps avec elle et leur fille, surtout si cela occasionnait une dépense « frivole », comme aller au resto, au cinéma, ou se payer une gâterie. Il s'agissait nettement là d'une peur du mari, exacerbée par sa situation professionnelle, car leur santé financière n'était pas en péril.

En tant que codépendante rêveuse, ma cliente a refusé de se priver de ces moments essentiels à leur bonheur et, avec leur fille, il lui est arrivé d'aller casser la croûte dans un petit resto du coin. Son mari aurait eu avantage à apprendre d'elle et à tenter de l'imiter en priorisant des moments riches en partage et en relations, plutôt que de se laisser envahir par la peur de manquer d'argent.

Le couple actif-rêveur

L'actif et le rêveur ont tout pour se compléter : c'est le « to do » qui rencontre le « tout doux ». Le rêveur a la responsabilité d'exprimer son besoin d'intimité. Il a plein d'idées, mais il est souvent dépourvu quand vient le temps de les concrétiser. Le fait de s'allier à un actif lui permet souvent de se réaliser.

Comme l'actif a de la difficulté à se déposer tant et aussi longtemps qu'il reste des éléments à cocher sur sa liste, il a besoin du rêveur pour apprendre à ralentir, sinon il ne s'arrête jamais.

L'appel du devoir au détriment du couple

J'ai connu un jeune couple de professionnels. Lui est technicien à la comptabilité et termine ses études le soir. Elle est avocate et travaille depuis peu dans un cabinet, au bas de l'échelle. Lui est le codépendant du couple et un actif de haut niveau, comme on dit. L'arrivée d'un bébé est venue s'ajouter à tout le travail qu'ils abattent déjà pour entretenir leur vie sociale, démarrer leurs carrières naissantes et s'occuper de leur couple.

Depuis la naissance du petit, les fins de semaine n'existent que pour accomplir les tâches : le repassage, l'épicerie, les repas qu'il faut préparer d'avance. Tout cela en deux jours de congé. Lui est très nerveux tant et aussi longtemps que tout n'est pas fait, car il y a un nouveau petit bébé dans le décor et, pour lui, c'est tout un contrat, ça lui fait plus de travail. Le bébé est perçu comme une responsabilité honorable, mais énorme pour lui.

Elle est la dépendante rêveuse du couple, mais elle contribue largement aux tâches. Elle souhaite passer du temps de qualité avec son amoureux et son bébé, ce qui est tout à fait légitime. Elle ne s'en prive pas, car elle ne se tracasse pas trop avec un panier de linge à plier qui attend dans le coin ou la balayeuse qu'il faudrait bien passer. Lui en est incapable.

S'il s'oblige à négliger les tâches pour un moment et à aller vers elle, il sera probablement stressé et n'arrivera pas à se déposer comme elle le souhaiterait. Sa crainte est légitime, il ne veut pas terminer le repassage de ses chemises le dimanche soir avant de pouvoir aller au lit. Ses intentions sont honorables, mais il doit pouvoir trouver l'équilibre entre son dévouement aux tâches et sa relation avec sa blonde et son fils.

De façon un peu dramatique, imaginons qu'il meure demain ; fera-t-on vraiment l'éloge de ses chemises bien repassées ou de ses lunchs préparés d'avance ? Et il doit espérer lui-même que, au dernier matin du jour de la mort de son amoureuse, il ne soit pas en train de plier du linge plutôt que de boire un café avec elle.

Le défi de l'actif n'est pas de tout laisser tomber, mais d'être capable de voir plus loin que la pile de choses à faire et de se ramener dans la vie qui bat autour de lui. Il doit pouvoir se demander s'il se consacre effectivement à la priorité de sa vie, à cet instant-là. Parfois, les circonstances nous obligent à agir, d'autres fois c'est juste nous qui nous faisons un devoir de terminer coûte que coûte. Il doit surtout prendre conscience qu'accomplir des tâches est une activité permanente, qui n'en finira pas de sitôt. Il doit le savoir et se souvenir qu'on peut s'y perdre.

Le rêveur, phare dans la tempête du quotidien

Nous sommes tous poussés vers un mode de vie plus rapide, plus efficace, mieux branché, plus accessible, mais l'actif l'est plus encore, lui qui ressent le besoin de prendre ses messages et de répondre à ses textos dans la minute, même à table, au souper (c'est ça, être efficace). Cet exemple montre toutefois à quel point il devient difficile de s'ancrer dans le moment et d'être pleinement présent, face à l'autre ou à sa famille.

Le rêveur, qui en société n'est pas très valorisé, est pourtant essentiel à la santé d'un couple. C'est le meilleur gardien de la qualité relationnelle et, grâce à lui, l'actif trouve une amarre solide pour se maintenir dans le couple et vivre, malgré sa nature tourbillonnante, une expérience relationnelle nourrissante.

Le rêveur tend à constamment entretenir le flot amoureux avec l'autre. À chaque moment, dans toutes les activités qui se présentent, le rêveur cherche à saisir les occasions pour reformer la bulle d'intimité. Ce peut être une brève conversation dans un cadre de porte d'où émerge parfois un baiser ; ou la corvée du supermarché qui se transforme en rigolade au milieu des paniers d'épicerie ; ou ces trajets en voiture durant lesquels on se raconte des choses, on partage, on se taquine. Ou ces fous rires qui éclatent à brûle-pourpoint dans une fête ou un souper : chaque couple a ses « *insides* » bien à lui.

Le rêveur est rapide à saisir ces moments et l'actif a tout à gagner à se laisser prendre au jeu, à oublier qu'il est dans le rayon des fruits et légumes, à laisser de côté sa liste pendant trente secondes et à se rendre disponible à ce qui se passe là, sur place. Il gagnera beaucoup à savourer ces instants, si furtifs soient-ils.

L'actif se valorise beaucoup du fait des tâches abattues, des comptes payés, de la neige pelletée, de l'auto bien entretenue et des enfants bien habillés pour l'hiver. C'est sa fierté, c'est sa force et il apprécie plus que tout quand le rêveur l'admet et exprime sa gratitude. Le rêveur peut bien apprécier et reconnaître que l'actif se démène et en fait beaucoup, mais si toute cette énergie mise à la tâche l'empêche d'être présent dans la relation et l'intimité amoureuse, ça n'a plus aucun sens. Qu'on engage quelqu'un, ça presse.

J'ai d'ailleurs souvent vu des couples accepter de vendre la grosse maison, le chalet, le bateau qui accaparaient complètement leur attention, pour aller vivre dans un condo et être ainsi plus présents à leur relation. Si on se préoccupe plus de la liste de choses à faire, la vie du couple sera bien organisée, mais peu nourrissante sur les plans amoureux et sexuel. C'est la qualité de la vie familiale qui en souffre et, à plus forte raison, celle de la relation amoureuse.

Le rêveur se dresse contre ces envahisseurs pour vaillamment défendre la relation et exiger des moments d'intimité. C'est lui qui est le plus susceptible de proposer des projets d'activité ou de vacances enlevants et c'est l'actif qui est le plus compétent pour les concrétiser. Il s'occupe des bagages, de l'avion, du transport, de l'hôtel, mais, une fois sur place, le rêveur a raison d'exiger que l'autre se rende disponible pour vivre ce qu'il y a à vivre sur place.

Le rêveur, gardien de l'intimité amoureuse

La principale difficulté que vivent les couples pour qui la dualité actif-rêveur pose problème est leur incapacité à accéder de façon satisfaisante à l'intimité amoureuse et sexuelle.

Par exemple, si par hasard le rêveur ressent l'envie de faire l'amour à midi et quart, ça ne sera pas possible. L'actif est en mode action et n'est pas disponible. Peut-être le rêveur arrivera-t-il à l'arrêter, mais il risque d'être déçu, car il n'obtiendra pas de lui la qualité de présence qu'il souhaite.

LE RÊVEUR

Viens ! Prends-moi dans tes bras !

L'ACTIF

Ben là ! J'ai les mains pleines !

L'actif est préoccupé par tout ce qu'il a à faire, par comment le faire, dans quel ordre et à quelle fréquence. Cela se reflète dans la sexualité, qu'il considère d'abord sous l'aspect de la génitalité, de la performance et de la fréquence. Dans sa sexualité comme ailleurs dans sa vie, l'actif se concentre sur la « tâche », les positions et les gestes à faire, l'orgasme à prodiguer et à obtenir. Une fois cela fait, l'actif décroche et, si rien ne le retient dans l'intimité du moment, il se lève, car d'autres tâches l'attendent. Avec le temps, la vie sexuelle telle que la conçoit l'actif risque de rendre la chose un peu mécanique et moins intéressante.

Heureusement, le rêveur a la capacité de maintenir l'intérêt pour la sexualité, même après cinq, dix ou quinze ans, quand les rapports physiques se nourrissent de plus que la simple génitalité et la performance. Le rêveur a la possibilité de nourrir l'intensité de la vie intime à long terme. Il mise sur la rencontre, l'intimité, la chaleur du corps de l'autre, sur les liens qui les unissent, sans égard à la performance, à l'érection ou à l'orgasme obtenu ou non. Le rêveur profite du moment présent ; les fous rires, les interruptions et les pannes n'altèrent en rien son plaisir d'être en intimité avec l'autre. Cela le nourrit autant que la sexualité triomphante elle-même.

J'ai souvent entendu dans mon bureau des gens témoigner du fait que, parmi les choses dont on s'ennuie le plus après le décès de l'autre, ce sont les petits gestes quotidiens, les touchers, les caresses, les moments d'intimité d'une grande banalité parfois, mais qui sont des marques indélébiles et personnelles, comme des empreintes uniques au couple et que seuls les partenaires savent reconnaître.

Un client m'a un jour confié que ce qui lui manquait le plus de sa femme décédée, c'est quand, en écoutant la télé, elle lui caressait les cheveux et lui déroulait le rebord des oreilles. De l'intimité pure.

Sans rêveur, on mène des projets, on est efficace et tout se tient. La liste de choses à faire est écrite noir sur blanc. Grâce au rêveur, on ajoute les couleurs de l'amour.

Investir dans la relation

Le rêveur est aussi le gardien de la banque de souvenirs. L'actif, souvent, ne se souvient pas très bien des choses, car, pour lui, tout va vite. Il a mille choses en tête et en oublie au fur et à mesure.

Pour l'argent, c'est la même chose. L'actif s'assure que les comptes sont payés, que les cotisations au REÉR sont prises, etc. Le rêveur, lui, est plus enclin aux petits plaisirs, aux gratifications susceptibles de créer un rapprochement et, donc, aux dépenses : un resto à l'occasion, une journée au spa et un massage, pour le simple plaisir de profiter d'un moment ensemble. Et pourquoi pas un voyage dans le Sud ? « On mérite bien ça. On travaille tellement fort. Ça va nous faire du bien. »

Le rêveur considère d'abord le bien, le bon, le beau, l'agréable et le plaisir que l'on peut se faire ensemble. Dépenser de l'argent pour voyager en amoureux, c'est un investissement direct à la création d'intimité. C'est la raison pour laquelle le rêveur est tellement important. S'il n'est pas reconnu pour ce qu'il fait, le rêveur peut vouloir abandonner. On devient alors un couple bien organisé et à jour dans sa paperasse, mais pour les moments d'intimité, on repassera.

Les défis du couple actif-rêveur

Le principal enjeu de la dualité actif-rêveur est l'intimité. Pour accorder à l'autre un droit d'accès à ce que je suis fondamentalement, je dois moi-même me donner les moyens d'y accéder.

Choisir de rencontrer l'autre en toute intimité va bien au-delà d'une simple décision ou activité de couple. C'est accepter de plonger en soi et, malgré la difficulté que cela représente parfois, s'autoriser à ressentir les émotions, la peur ou la joie qui nous habitent. Je dois ensuite cultiver ma capacité à m'ouvrir à l'autre et accepter de me dévoiler tel que je suis, avec mon histoire, mes expériences, mes bons coups comme les moins bons.

En acceptant de partager au quotidien ce qui nous habite et en nous rendant disponibles à écouter l'autre, à cœur ouvert, nous créons la proximité essentielle à la complicité dans le couple et nous évitons de nous perdre dans l'action ou de nous laisser envahir par nos états d'âme.

De plus, cette disponibilité amoureuse est souvent la porte d'entrée à des moments riches en tendresse et en affection, et elle permet ainsi une belle disponibilité sexuelle. L'ouverture du cœur et la vulnérabilité qui s'expriment dans un climat de confiance et d'acceptation maintiennent une connexion au niveau du cœur et du corps.

Choisir de rencontrer l'autre en toute intimité va bien au-delà d'une simple décision ou activité de couple. C'est accepter de plonger en soi et s'autoriser à ressentir les émotions, la peur ou la joie qui nous habitent.

Vite et lent

CHAPITRE 6

Êtes-vous du type *Coyote* ou *Road Runner*? Le premier est pataud, pas très futé et maladroit, le deuxième est rapide, précis et perspicace. À eux seuls, ils résument tous les préjugés qu'entretient la société par rapport aux vites et aux lents.

Dans les faits, le *Coyote* est imaginatif, persévérant et ingénieux, malheureusement pour lui, le sort s'acharne. Tout se ligue pour contrarier ses plans, même les lois de la physique, parfois. À côté, le *Road Runner*, malgré les apparences, n'est pas si extraordinaire qu'on le dit. À part courir vite, de quoi est-il vraiment capable ?

Pareil pour le lièvre et la tortue. Le premier est excité, prétentieux et désinvolte, le deuxième est méthodique, déterminé et constant. Malgré cela, nos sociétés occidentales ne valorisent pas beaucoup les lents, comme les émotifs et les rêveurs d'ailleurs. Nos systèmes d'éducation modernes favorisent les rationnels, les actifs et les vites. La société encourage beaucoup la performance, mais, dans nos relations interpersonnelles, dans notre vie de couple ou de famille, c'est la lenteur qu'il faut honorer. On ne peut se parler de ce que l'on ressent ou de ce que l'on vit en vitesse.

Qu'est-ce qu'un vite ?

Le vite est debout dès les premiers drelins de la sonnerie du réveil. Une demi-heure plus tard, il est douché, habillé, il termine son déjeuner et est prêt à partir. Devant une idée, un projet, le vite est toujours disposé. En deux temps trois mouvements, il s'est activé pour trouver l'information, pour passer à l'action, pour affronter sa journée sans trop se questionner sur les implications.

Pour un vite, tout est urgent. Aller chercher une boîte de mouchoirs peut devenir une urgence nationale. Les tâches sont comme des ennemis à abattre. On se précipite pour en venir à bout le plus rapidement possible et, avec le temps ainsi gagné, on entreprend de nouvelles tâches et on devient toujours plus performant.

Les vites se font souvent une fierté de payer leurs comptes dès leur réception ou de soumettre leur déclaration de revenus dès le début de la période des impôts. Ils vivent un réel malaise à laisser traîner ce type de tâches et se sentent franchement mieux quand elles sont réglées.

Vitesse et efficacité… pas toujours synonymes

Il y a une certaine superficialité à être vite. Certains vites sont des *botcheux*. Ils empirent des situations en tournant les coins ronds, ils brisent ou échappent des choses, tombent, se coupent, veulent en faire trop. Ayant du mal à mesurer leurs gestes ou à manipuler des choses avec précision, ils peuvent se blesser douloureusement en voulant simplement ranger un bol au frigo. Pour les protéger des dangers qu'ils se font eux-mêmes courir dans la cuisine, on peut appliquer de petits trucs simples, comme placer les couteaux et les fourchettes tête en bas dans le lave-vaisselle ou encore bien fermer les pots pour éviter qu'ils ne les renversent. Car force est de constater que vitesse n'est pas synonyme de précision ou d'agilité.

C'est quand il brûle d'agir et de terminer rapidement une tâche que le vite est le plus vulnérable. C'est là que l'erreur arrive, il empire une situation qu'il voulait régler, il brise davantage ce qu'il voulait réparer, il fait foirer une opération qu'il faudra reprendre à zéro, si c'est encore possible.

Le vite aurait intérêt à apprendre à lire les signes qui lui disent qu'il va trop vite. Des signes comme se cogner à répétition, trébucher, envoyer un courriel en oubliant d'insérer une pièce jointe, avaler de travers une gorgée d'eau sont souvent révélateurs d'un état de fébrilité chez le vite qui peut entraîner des réactions impulsives néfastes.

Les signaux sont pourtant parfois très clairs pour amener le vite à ralentir, mais il peut vouloir s'acharner, presser le pas ou sauter des étapes plutôt que de lâcher prise, prendre un peu de recul, recadrer son action et agir efficacement.

Bref, vouloir faire vite entraîne inévitablement qu'on agit avec moins de profondeur et moins de présence. L'adage qui dit que si vous souhaitez qu'une tâche soit vite faite, vaut mieux la confier à la personne la plus occupée, ne décrit qu'une moitié de vérité, car si la tâche en question demande un haut niveau de précision ou beaucoup de patience, vos chances sont meilleures si vous la confiez à un lent.

Par exemple, les tâches qui demandent de s'attarder pour comprendre un problème ou pour manipuler de petites pièces, pour replacer délicatement un ressort ou visser une minuscule vis dans un boulon… Toutes choses qui demandent de ralentir le rythme, de passer en mode douceur, minutie, adresse sont souvent escamotées par le vite qui veut se dépêcher, même s'il n'y a pas d'urgence. Il veut se débarrasser et risque de devenir impatient s'il ne réussit pas du premier ou du deuxième coup.

Qu'est-ce qui motive les vites ?

Les vites ressentent vivement la pression lorsqu'on attend quelque chose d'eux, quand la tâche est grande et les échéanciers serrés. Plus vite ils se mettent en action, plus vite la pression tombe, alors ils se précipitent, simplement pour se sentir mieux, se rassurer. L'action leur donne l'impression de faire baisser la pression, mais en est-il vraiment ainsi ou se créent-ils encore plus d'espace pour en prendre davantage sur leurs épaules ?

Outre cette volonté de faire tomber la pression, ce qui fait bouger le vite, c'est la perspective de plaire aux gens qui attendent quelque chose de lui. Il y a beaucoup de valorisation à être vite. Cela fait plaisir aux autres quand on répond rapidement à leur demande, quand on les précède même. Rien ne rend plus heureux le vite que d'être reconnu et apprécié de son monde.

Quand on y regarde de plus près, cela ressemble quand même un peu aux motivations du lent, qui lui va accélérer pour éviter les conséquences, dont celle de déplaire à ceux qui attendent quelque chose de lui. Ce n'est qu'une question de tempérament…

Le dépendant vite

Le dépendant vite est à son affaire. Il n'a pas le choix. Il a plein de boulot, il faut qu'il livre. Bien des gens comptent sur lui. Il met beaucoup d'énergie dans sa quête de reconnaissance, pour plaire aux gens et confirmer sa propre valeur d'être humain.

Quand le codépendant lent l'interpelle et tente de lui arracher un baiser, une marque d'affection ou un peu de temps, le dépendant vite est expert pour expliquer pourquoi il agit ainsi et les raisons qui le rendent non disponible, pour l'instant, aux choses de l'amour. La phrase « Je finis ça et je suis tout à toi » revient régulièrement dans son vocabulaire. Bref, il se justifie en montrant à quel point ce qu'il fait est extraordinaire.

Le dépendant vite est celui qui se plaint le plus quand on le retarde. Sur la route, ce sont les plus vindicatifs envers les autres conducteurs et probablement les plus grands utilisateurs du klaxon. Ils s'impatientent parfois, crient, font de grands signes et de petits gestes disgracieux, se renfrognent et arrivent en retard, mais avaient-ils le choix ? Non. Le dépendant vite n'est jamais responsable de ses retards. Puisqu'il justifie chacune de ses actions, il faut se lever de bonne heure pour le prendre en défaut.

Le codépendant vite

Un codépendant vite est préoccupé par les choses à faire pour les gens autour de lui. Par exemple, une de mes clientes qui a trois enfants est très fière que ces derniers soient tous très autonomes. Bien que son amoureux soit souvent appelé à partir à l'étranger pour se réaliser professionnellement, tout dans la maison est fait et bien fait. Pas le choix, les matins d'école, il y a beaucoup à gérer : le réveil de chacun, le déjeuner, l'autobus à ne pas manquer, sans oublier les journées spéciales comme l'Halloween qui créent des matins de grande intensité. Cette femme est tellement heureuse de permettre à toute sa petite famille de vivre pleinement. Elle en mène large et elle en est très fière. Elle ne veut laisser personne dans le vide et elle se sert de sa vitesse comme atout pour y arriver. Elle est dans le faire uniquement. Ça opère, ça ramasse, c'est un bulldozer. Rien ne la rend plus heureuse que d'avoir pensé à tout avant que ce soit demandé.

Le défi du codépendant vite est de s'assurer de prendre le temps d'être en relation avec tout ce beau monde, d'être présent et disponible émotivement. Quand tous sont partis il a intérêt à prendre le temps de se poser cette simple question : comment je vais, moi ?

Un codépendant vite est tellement à son affaire qu'il agit extérieurement comme il se sent intérieurement. À son affaire, il ne rit pas, il ne se laisse pas distraire, il peut même se montrer assez cassant si on le dérange. On a plus de chances d'avoir un bon contact avec lui si on vient lui demander un petit service parmi toutes ses autres tâches, que si on vient le voir dans l'espoir d'avoir un contact chaleureux.

Si le lent vient l'interrompre dans son élan, s'il a envie de parler, d'amorcer une conversation où on réfléchit ensemble, où on rigole un peu, le codépendant vite peut devenir très expéditif. S'il vaque à une tâche, il peut presque avoir l'air en colère. En fait, ce n'est pas le cas, mais si le lent est plus fragile, il peut facilement prendre ombrage de l'attitude de l'autre avec l'impression qu'il le dérange, ce qui n'est pas tout à fait faux. Être dans le faire, se concentrer uniquement sur la tâche semble enlever au vite sa bonne humeur.

Le danger qui guette les codépendants vites qui se font un point d'honneur de tout faire rapidement est d'en venir à tout traiter avec le même sentiment d'urgence. À force de devancer les besoins et de s'assurer constamment que rien ne manque jamais à personne, le codépendant vite peut en venir à se causer lui-même du stress et de l'insécurité. La période des impôts se prolonge jusqu'à la fin d'avril ; il n'est pas nécessaire de produire sa déclaration dès le début de janvier afin de se rassurer à propos des frais de retard. Calmer l'insécurité chez le vite est toujours gagnant.

Qu'est-ce qu'un lent ?

Les lents ont malheureusement mauvaise réputation. À preuve, tous ces sobriquets qui leur sont attribués et qui salissent injustement leur image : « bretteux », « lambins », « traîne-savates » et plusieurs autres du même genre.

> **- Lambins du monde entier, unissez-vous !**
> **- D'accord ! On se téléphone demain et on en parle...**

Il est vrai que les lents sont des gens facilement distraits, qui peuvent parfois perdre un peu de vue leur objectif. Les lents ont besoin d'apprivoiser le moment où ils s'attaqueront aux tâches et de comprendre le sens de leur effort avant de pouvoir les aborder, les réaliser, les abattre... Les vites, ne se posant pas ce genre de question, ont bien du mal à comprendre les interrogations, voire les tergiversations des lents face à l'action.

Lors d'une dispute, le lent finit souvent par ne plus savoir ce dont il est question, ce qui vient de se passer. Il a de la difficulté à faire un retour, il est un peu perdu. Il se dit : « Il me semble que j'ai un avis là-dessus... », mais ça ne lui vient pas facilement, alors il dit n'importe quoi ou il ne dit rien. Si on lui laisse le temps, il finira par trouver le bon argument, mais un peu trop tard. Le lent a beaucoup de répartie, mais souvent après les faits.

Le lent doit laisser aux événements, aux conflits, aux imprévus le temps de se déposer. Il doit pouvoir les assimiler et ressentir ce qu'ils font vibrer en lui. Après seulement, il sera en mesure de réagir adéquatement. Si on le force à répondre avant que ce travail soit terminé, on risque de l'entendre dire n'importe quoi. Bref, pour avoir un vrai son de cloche du lent face à un enjeu au sein du couple, il faut lui laisser le temps de procéder.

Être un actif lent, c'est possible ?

On pourrait croire qu'il est difficile d'être actif tout en étant lent. Pourtant, on n'a qu'à penser aux perfectionnistes qui prennent un temps infini à procéder, à chercher les outils les plus appropriés, les moyens les plus efficaces pour arriver aux meilleurs résultats. Ils testent, évaluent, ajustent. Ce sont des actifs de haut niveau, mais qui procèdent lentement et doivent donc disposer de beaucoup de temps.

Éloge de la lenteur

Au sein du couple, la lenteur est souvent une force. Quand je travaille avec des couples qui traversent des périodes difficiles, il est essentiel de respecter le temps nécessaire pour gérer les inconforts, les déceptions et les incompréhensions. Cette lenteur permet de prendre du recul pour y voir plus clair. Il faut honorer cette dernière. Il ne faut pas juger le lent, car il nous aide à savourer, à entendre et à sentir la vie autour et le temps qui passe.

Par exemple, planifier un voyage est une activité à laquelle il faut consacrer du le temps. Le vite, qui a organisé le voyage et établi le programme, sait exactement où ils iront et quelle journée. Il est cependant possible que le lent vienne bouleverser le programme en cours de route, car il est bien là où il est et, plutôt que d'aller à la prochaine étape, il veut profiter du moment présent.

Lenteur et procrastination… même chose ?
Pour accélérer, les lents doivent fortement ressentir l'urgence. Quand la raison ne peut plus contrôler l'émotion de panique ou d'inquiétude face aux conséquences de ne pas se hâter, les lents s'activent généralement avec efficacité. Passer à l'action deviendra alors une façon de fuir un état émotif désagréable.

Par contre, sous l'effet de la pression qu'exerce sur eux la quantité de tâches à accomplir, les lents auront parfois tendance à être paralysés. Si le lent est porté à procrastiner, c'est souvent une question d'insécurité, d'inconfort.

L'insécurité ou la culpabilité peuvent être des moteurs à l'action ou provoquer la paralysie. La procrastination, c'est la manifestation de la paralysie, et il ne faut pas confondre lenteur et paralysie. Bien sûr, le lent doit laisser procéder les choses en lui, mais la ligne est mince entre se préparer à passer à l'action et tout remettre au lendemain.

Les lents ont souvent besoin de soutien bienveillant et non de pression pour s'activer. La vraie lenteur naturelle et profitable s'exprime quand la personne est hors de ses stratégies de survie (celles qui lui permettent de fuir une situation ou une émotion inconfortable).

Quand on est mû par sa nature profonde, on est lent ou on est vite pour les bonnes raisons et à bon escient. L'idée n'est donc pas de devenir autre chose que ce que l'on est, mais plutôt de tendre vers la meilleure version de soi-même.

Les revers de la lenteur
Le danger qui guette les lents est le manque de marge de manœuvre si un pépin se présente. Le manque de latitude du lent ne permet pas d'absorber les imprévus de dernière minute et peut mettre en péril la réalisation d'un projet, ce qui crée un stress énorme.

Prenons un couple qui part en voyage et dont l'avion décolle au petit matin. Il doit se présenter trois heures à l'avance pour passer les lourdes procédures de la sécurité. Manque de chance, en chemin pour l'aéroport, il se heurte tout à coup à une fermeture de route inattendue. Dans ce genre de situation, le vite est très satisfait de lui. Son sentiment d'insécurité a ceci de bon qu'il lui permet de mieux voir venir les embêtements. Dans ce cas-ci, le détour va certainement le retarder, mais il arrivera probablement à temps, ce qui n'aurait peut-être pas été le cas si deux lents étaient partis ensemble pour l'aéroport.

En voulant repousser à plus tard les désagréments quotidiens, les lents s'en imposent peut-être davantage. Le stress supplémentaire qu'ils se créent risque d'accaparer leur attention au détriment de la relation. Autrement dit, l'anxiété et le stress supplémentaires d'être toujours à la dernière minute les éloignent de l'autre par leur faute.

Un trait perceptible dès l'enfance

Les enfants lents sont notables. J'en vois parfois sur le chemin de l'école le matin : « Achille, tu as ta boîte à lunch ? » Achille ne l'a pas, alors sa mère lui tombe dessus. Ils sont à la dernière minute, elle s'énerve : « Viens chercher ta boîte à lunch. » Il repart en courant. Avant même d'arriver à l'école, il s'est fait engueuler, il s'est fait bousculer, il a récupéré sa boîte à lunch, mais il a oublié sa tuque. Il entre dans la cour d'école, la cloche a sonné, il court, il a chaud. Quelle façon de commencer la journée, pauvre petit poulet. Ce n'est pas nécessaire de se faire vivre ça.

Et il n'y a pas de solution miracle. J'ai bien aimé un jour l'expression d'une cliente à propos de son fils lent, à qui elle a conseillé de marcher lentement s'il en a envie, d'admirer le paysage, de s'arrêter pour observer un papillon ou rêvasser, bref d'être un enfant qui honore sa lenteur, mais de toujours s'efforcer de traverser la rue pendant que la lumière était encore verte.

Face à un enfant de type « lent », les parents devraient très tôt le rassurer sur le fait que sa lenteur n'est pas problématique, mais qu'il doit faire l'effort lui-même de traverser pendant qu'il est temps, sinon il y aura des conséquences. Il doit respecter les dates limites pour payer ses comptes, sinon il y aura des frais ; il doit arriver à l'heure à l'aéroport, sinon son avion risque de partir sans lui.

C'est une grande vérité, un conseil de base que tous les lents devraient intégrer dès l'enfance. Prends ton temps, mais s'il faut agir, fais-le à point. S'il ne respecte que sa lenteur, le lent devra en assumer les conséquences, ce à quoi bien des lents répondent : « Ça ne me dérange pas. » Ce qui est faux. Chaque fois qu'un lent doit subir la conséquence de ses retards, il vit un inconfort qui lui empoisonne la vie.

Le dépendant lent

Le dépendant lent se défend bien d'être lambin. Il aborde sa lenteur comme étant une chose salutaire et bénéfique avec des exemples et des propos très convaincants.

Le dépendant lent est un bon candidat à la procrastination. Pour lui, ce n'est jamais le bon moment de faire les choses et ce sera toujours mieux demain.

Les dépendants lents sont parmi ceux qui négocient le plus avec leur réveille-matin pour rester au lit un peu plus longtemps. La levée du corps est toujours une dure étape à passer ; ce sont donc de grands utilisateurs du bouton « snooze ». Même une fois debout, ils ont souvent besoin de plus de temps pour se mettre en mouvement. Pendant une bonne heure parfois, ils considèrent qu'ils viennent *tout juste* de se réveiller. Mieux vaut éviter les sujets litigieux, les questions à trop long développement.

Mais il n'est pas au bout de ses peines, car, au fil de la journée, s'attaquer à une tâche un peu désagréable lui cause le même désagrément que l'obligation de se lever le matin. Sa solution est encore une fois d'appuyer sur le « snooze » pour tenter de repousser le plus possible l'obligation d'agir. Le dépendant lent prend tout le temps dont il dispose pour faire les choses. S'il peut éviter ou reporter l'échéance à plus tard, sans trop de conséquences, c'est certain qu'il le fera.

Il répond souvent à un *pattern* acquis tôt dans l'enfance, celui de considérer toute autre chose que le plaisir comme étant potentiellement pénible et, par réflexe, de vouloir l'éviter, la reporter, l'ignorer, jusqu'à ce que la réalité le rattrape. Il se rend alors à l'évidence qu'il doit, comme tout le monde, affronter les difficultés de la vie, ou ce qu'il perçoit comme tel. Alors seulement, il se met en action, mais toujours en ressentant un malaise, un inconfort ou un désir d'être ailleurs.

Le lent se condamne souvent à exécuter ce qu'on attend de lui le plus tard possible, au dernier moment. S'il dispose d'une semaine pour une tâche qui n'exige que trois jours, il attend les trois derniers jours. Mais pendant toute la semaine, la pression ira en augmentant, comme s'il fallait attendre d'être en situation d'urgence pour enfin se mobiliser et agir. Ce sera la croix et la bannière. Il se couche le soir en se traitant de tous les noms ; dans un effort ultime, il finit par le faire et, là, il est content de s'en être acquitté.

Dans sa lenteur, le dépendant lent s'active pour ne pas avoir à subir l'odieux d'une conséquence. Il pourrait facilement se justifier et expliquer pourquoi il ne s'est pas activé ou passer des heures à se chercher des raisons pour expliquer ses retards, mais l'inconfort de ne pas avoir respecté son engagement le rattrapera.

Le danger pour le dépendant lent est d'accepter de payer un certain tribut à la lenteur, de tolérer un certain niveau de conséquence, comme apprendre à vivre avec le sentiment de ne pas être à la hauteur, de se sentir constamment coupable et de développer une tolérance exagérée au stress.

Nonchalance ou tolérance ?

J'ai eu des clients qui travaillaient pour des entreprises qui exigeaient d'eux de remplir régulièrement des feuilles de temps détaillées, des rapports de vente ou encore leurs relevés de dépenses avec pièces justificatives. Des tâches répétitives pas si rigolotes, mais qui s'effectuent plus facilement un peu chaque jour que d'un seul coup à la fin du mois. Pourtant, plusieurs lents dans cette situation négligeaient de le faire quotidiennement pour se retrouver le jour de l'échéance à devoir retracer, à partir de leur agenda, les dossiers traités, les réunions, les visites de clients, etc., et à retrouver toutes les factures manquantes pour justifier leurs dépenses.

Ce sont les mêmes qui souvent contractent un abonnement au gym et continuent à payer par prélèvements bancaires préautorisés bien après avoir cessé de fréquenter l'établissement. Les dépendants lents sont de ceux qui négligent le plus d'effectuer leur changement d'adresse ou qui se retrouvent avec un permis de conduire périmé, une police d'assurance annulée faute de l'avoir renouvelée à temps.

Ce sont eux aussi qui finissent souvent par payer les fameux frais de retard. Car il y a un coût au laxisme. Mais rater une échéance n'entraîne pas seulement des frais, c'est parfois plus compliqué, on doit rappeler, refaire une démarche, reprendre une entente, etc. On n'a plus aucune marge de manœuvre et, si les choses se compliquent, on s'expose à de nouveaux désagréments que l'on aurait pu s'éviter si on s'était simplement donné la peine d'agir à temps.

Cela dit, l'inverse n'est pas toujours mieux. Les « trop vite », ceux qui sont le contraire des retardataires, qui sont toujours arrivés les premiers, créent eux aussi de l'inconfort chez les autres. Je l'ai vécu moi-même. J'organise régulièrement des ateliers intensifs et quand les gens sont convoqués à 8 h 45 et qu'une personne se pointe une heure à l'avance, malgré toutes ses bonnes intentions, c'est envahissant.

Les vites et les lents doivent comprendre que, trop vite, ça peut être dérangeant, mais que, trop lent, c'est irrespectueux. À chacun sa conséquence. Cela devrait faire partie de l'enseignement du savoir-vivre et du savoir-être que l'on inculque aux enfants.

Le codépendant lent

Le codépendant lent a extrêmement de difficulté à s'organiser. Il est continuellement en train de s'occuper de quelqu'un ou de quelque chose. Il pense qu'il a tout son temps, il est relaxe, il a le bonheur facile et il est toujours disponible pour rendre service. Cette espèce de nonchalance le rend facile à vivre. Par contre, il gère difficilement son stress face à une demande de performance. Il se rigidifie lorsque la vie l'oblige à se sortir de ce rythme, de cette cadence. Il réagit, car il se sent vite contrôlé et il déteste qu'on lui dise quoi faire. Il justifie toujours sa lenteur par une bonne action, convaincu qu'il s'attirera la compréhension de tous.

Le codépendant lent est foncièrement responsable face aux choses à faire. Son plaisir, c'est de prendre le temps pour les faire. Il aime pouvoir donner du temps à tout le monde et chérit ces précieux moments. Entre deux tâches, pouvoir échanger avec le voisin, s'arrêter pour lire un petit article, observer le cardinal qui vient de se déposer sur un fil. Dans les faits, il est toujours débordé, il a de la difficulté à s'accorder du temps, ce qui le rend souvent indisponible en relation.

Par exemple, une cliente me racontait qu'elle est responsable de la formation continue des cadres pour une entreprise de sa clientèle. Même si elle assume cette tâche depuis des années, elle s'y prend encore longtemps à l'avance et elle étale son matériel dans la salle à manger pendant trois semaines. Elle est incapable de se préparer seulement quelques jours avant, comme si elle devait suivre un protocole qui lui est propre, qui comprend plusieurs phases et plusieurs pauses où il ne se passe rien d'autre que de la réflexion. Pendant des semaines, elle monopolise l'espace, mais ce temps de cogitation et d'intégration est indispensable pour éviter le sentiment d'être bousculée.

Elle porte le projet qui s'élabore selon un certain rythme. Si l'échéancier est devancé, c'est tout le processus qui s'en trouve bouleversé, et les risques sont grands qu'elle ne puisse pas livrer ou du moins elle devra vivre avec le sentiment d'avoir vécu de la pression. Inutile de dire que c'est souvent son amoureux qui en subit plus directement les conséquences.

Le défi de cette codépendante lente est d'accepter d'avoir un cadre, un horaire, et de tenir compte dans son organisation des autres priorités de sa vie. Elle doit apprendre à gérer ses activités de travail et éviter d'imposer trop lourdement les inconvénients de son rythme lent aux autres. Elle doit s'efforcer de donner du temps de qualité à la relation en étant disponible. Elle qui a plutôt l'habitude de dire « Attends un peu, il faut que je termine » devrait faire en sorte de pouvoir dire quelquefois : « Oui, je suis prête ! J'arrive ! »

Les défis du couple vite-lent

La société valorise les vites, mais à quel prix pour les individus qui négligent la qualité relationnelle et l'intimité amoureuse ? Dans un couple, la vitesse peut devenir un obstacle. La lenteur permet souvent d'avoir une attitude adéquate devant les situations et de prendre le temps de se demander comment on se sent. Même dans la sexualité, on peut apprécier la fougue de la vitesse, mais la lenteur est susceptible d'éveiller autant de sensations et de plaisir.

La dualité vite-lent se vit beaucoup quand vient le moment d'accomplir les tâches. L'élément à comprendre d'abord, c'est que l'on fait les choses pour faire partie d'un couple, d'une famille, d'un groupe, pour respecter les règles, pour être aimé et répondre aux attentes. La seule différence entre le vite et le lent, c'est la façon de composer avec la pression. Le vite veut agir au plus vite pour s'en débarrasser, l'autre souhaite la contourner jusqu'à ce qu'il ne puisse plus faire autrement.

Le vite, qui est freiné par un lent, ne se sent pas bien dans l'inaction et subit la pression des choses à faire. Quant au lent, qui repousse autant qu'il peut ce qu'il a à faire, il finit par ressentir l'inconfort de la pression exercée par le vite et du fait qu'il n'a plus d'autre choix que d'agir.

J'ai connu le cas d'un jeune couple qui a vécu cet inconfort au moment de la naissance de son premier enfant. Comme tout le monde, les parents devaient remplir la déclaration de naissance qu'exige l'état civil dans les trente jours suivant la naissance, sous peine de complications. Pour lui, un vite, il était de toute première importance de le faire le plus tôt possible, pour s'en débarrasser. Pour elle, une lente, il n'y avait pas d'urgence. Effectivement ! Le temps de sortir de l'hôpital, de se remettre de l'accouchement, d'installer le bébé, ils y verraient bien assez tôt. Lui s'est donc retrouvé hors de sa zone de confort, mais il s'est beaucoup retenu pour ne pas bousculer sa chérie. Pendant une dizaine de jours, les quelques fois où il a ramené la question et sa préoccupation d'éviter les complications, elle lui répondait que rien ne pressait. Dans ce cas très précis, par respect pour leur différence, la lente aurait avantage, pour le mieux-être du couple, à accepter d'accélérer un peu sa façon de faire, qui est de s'occuper de ce genre de choses quand ce sera rendu nécessaire. Ce serait là le compromis idéal entre deux extrêmes : tout faire illico et tout remettre à plus tard. Un milieu que reflétera la volonté commune de respecter le rythme de l'autre tout en se respectant soi-même.

Il faut tenter de satisfaire les besoins de l'autre tout en acceptant de réfréner un peu notre penchant naturel pour la vitesse ou la lenteur. C'est ça, la danse du vite et du lent.

Pour le lent, il est toujours un peu bousculant de se faire imposer des limites de temps. Mais il doit accepter de devoir parfois faire les choses, même s'il a encore un peu de temps devant lui. Et le vite doit apprendre à attendre, même si les choses ne sont pas faites systématiquement dès qu'une pensée lui traverse l'esprit. Il doit pouvoir donner une semaine ou deux de délai au lent si ça ne fait aucune différence à la fin.

Si, par exemple, le lent a la tâche de passer la balayeuse une fois par semaine et qu'il s'y tient, le vite ne pourra pas se scandaliser que la tâche ne soit pas faite à son heure ou à la vue d'une miette de pain ou de poils de chat. Pour le vite, les choses ne se feront pas toujours à son goût et selon sa rigueur, mais elles se feront s'il laisse à l'autre le temps de les faire.

Dans le cas de la planification d'un voyage, par exemple, le vite aura tendance à vouloir s'asseoir et régler ça en quelques heures ; pas le lent. Le vite doit alors accepter de reporter l'exercice, tout en exigeant que l'on détermine un moment pour reprendre la discussion. Par ailleurs, le lent doit tout faire pour arriver à temps en ayant fait ce qu'il avait promis, même s'il se sent toujours un peu bousculé.

Sur le plan relationnel, le vite se place souvent en position de faire plaisir à l'autre, d'aller au-devant de ses besoins. En quête de reconnaissance ou de récompense, il court volontiers acheter le démaquillant ou la crème à barbe juste avant qu'il en manque. Il s'assure que le chandail préféré de chéri est toujours bien propre, il déblaie son auto, etc. Il prévoit tout. C'est une belle façon pour le vite d'être là pour l'autre. Le réel défi se présente toutefois quand « être là pour l'autre » exige de lui qu'il ralentisse, lors de situations ou de circonstances qui demandent de s'armer de patience, de se mettre au rythme du lent, bref, chaque fois que ses qualités de vite ne lui sont plus utiles. Mû par l'amour, il aura, espérons-le, le réflexe de persister, d'accepter, de chercher en lui les ressources qui lui permettront d'être là pour l'autre au moment où il en aura besoin.

Sur le plan de la communication, les couples vite-lent vivent aussi certains enjeux. Avez-vous déjà remarqué comment, en réunion, les vites se croient tout permis ? Ils coupent la parole aux autres, passent du coq à l'âne et changent de sujet sans crier gare. Les lents prennent parfois plus de temps à formuler ce qu'ils ont à dire, ils empruntent toutes sortes de détours et se perdent parfois dans les détails. Ce qui fait que les vites finissent souvent par se parler entre eux… Quand on leur accorde le temps nécessaire, les lents sont porteurs d'informations et d'enseignements très pertinents. Écouter un lent quand on arrive à être présent, c'est apaisant. Souvent, dans un couple, le vite va se plaindre du fait que le lent ne parle pas, mais pour peu qu'il l'attende et qu'il l'écoute sans lui couper la parole, on se rend compte du contraire.

On ne peut demander à un vite de devenir lent, pas plus que l'on ne peut exiger d'un lent qu'il accélère quand il est à son max. Il faut accepter de se donner un peu plus de peine, être de bonne foi, comprendre ses faiblesses, être patient et faire confiance à l'autre.

L'idée n'est pas
de devenir autre chose
que ce que l'on est,
mais de tendre plutôt
vers la meilleure version
de soi-même.

Les défis de l'amour durable

CONCLUSION

Pour grandir, s'enrichir et se perpétuer, l'amour durable a besoin d'un élément essentiel : l'engagement des partenaires[10]. C'est là tout le défi de ceux qui s'aiment et qui souhaitent sincèrement que leur couple marche. S'engager veut dire être activement présent dans l'intimité du couple, accepter l'autre tel qu'il est et s'investir soi-même dans la relation.

Être présent à l'autre

Il s'agit de rester présent physiquement, émotivement et intellectuellement à l'autre, dès le début de la relation et pendant toute sa durée. Au début, cela se fait naturellement. On est souvent obnubilé par l'autre, par son corps, sa façon d'être et ses intérêts. Une fois l'attrait initial passé, ce qui peut être plus ou moins long selon les individus, le danger qui guette tous les couples est de cesser de regarder activement l'autre et de le tenir désormais pour acquis. Bref, on oublie de rester attentif à l'évolution subtile de la personnalité de l'autre au fil du temps. Pourtant, il y a tout un plaisir à continuer d'observer et de découvrir l'autre dans sa façon de bouger, de se tenir dans son corps et de noter comment la vie s'exprime à travers lui. Il nous appartient aussi de faire l'effort de nous rappeler les qualités de cœur qui nous ont séduits dès le début et que nous avons perdues de vue au fil du temps.

10. Notions inspirées du document n° 5 « Qu'est-ce qu'aimer ? », des Dépendants Affectifs Anonymes (DAA).

Avec les années, le corps de l'autre – tout comme le nôtre – change. Sa façon d'habiter ce corps, sa façon de réfléchir, son rapport aux autres, à ses enfants et au travail changent aussi. Rester présent à l'autre veut donc dire être témoin de ces changements et les apprécier. C'est garder à l'esprit tout ce qui nous a attiré chez cette personne dès le début pour en suivre l'évolution et continuer à la découvrir. Continuer d'être présent en gardant un regard positif. Prendre conscience de ce discours que l'on nourrit trop souvent avec ses insatisfactions et qui n'exprime plus à l'autre le plaisir que l'on ressent de partager sa vie avec lui.

Rencontrer l'autre en toute intimité

Notre attirance, notre intérêt et notre respect pour l'autre, sur les plans physique, émotif et intellectuel, constituent la base sur laquelle s'appuie la relation amoureuse. On en vient à connaître l'autre dans ses forces et ses faiblesses. On découvre ses zones d'ombre et ses vulnérabilités, on refait le parcours de ses expériences, on mesure mieux l'impact de ses succès ou de ses échecs, et on défriche peut-être même son fameux jardin secret.

Rien de cela n'est possible au début de la relation. On le découvre avec le temps, mais on ne peut aller à la découverte profonde de l'autre sans être disposé à accéder soi-même à sa propre profondeur. Ce genre de rencontre ne peut se produire que dans la bienveillance et à la seule condition que les deux soient disposés à s'ouvrir. Quatre obstacles peuvent empêcher cette rencontre en profondeur de l'autre.

- La fermeture émotive d'un des partenaires qui ne souhaite pas s'ouvrir, ni dans la vie ni en démarche de couple, car il juge que c'est inutile. Il est comme il est, et c'est à prendre ou à laisser. Il préfère vivre sans être confronté.
- Une blessure subie précédemment qui rend craintif. « Je me reconnais la capacité à m'ouvrir, mais j'ai été blessé, alors je me suis replié sur moi-même et je ne veux plus aller toucher cette douleur. Ça m'a fait trop mal. » Le repli limite donc l'accès à l'intimité et ne permet plus de rejoindre la dimension profonde de la personne.

- Le manque de temps, la difficulté de s'arrêter. Il est impossible d'installer et de vivre l'intimité relationnelle quand on roule à deux cents à l'heure. Je rencontre de plus en plus de couples qui vivent cette situation. Mon conseil est toujours le même : se fixer des rendez-vous amoureux. Il s'agit d'instituer un rituel, c'est-à-dire prévoir un bloc de trois heures consécutives, idéalement une fois par semaine, où il n'y a rien d'autre à faire qu'être en relation avec l'autre. Si c'est trop, ça peut être aussi simple que d'écouter une série télé ensemble. Il y a des gens qui n'y arrivent même pas, à cause du manque de temps. Le rituel n'est pas sexuel, mais il prédispose à une relation sexuelle, un peu comme ce qu'ils vivent quand ils partent en vacances et qu'ils constatent soudainement un regain sexuel. La raison en est bien simple : ils retrouvent en vacances cette disponibilité à l'autre qu'ils ont de la difficulté à s'offrir au quotidien.

- La perte, chez les partenaires, de la capacité à s'émerveiller, à vouloir inventer des moments avec l'autre. Dans les couples en général, ce rôle de nourrir la « magie » est souvent assuré par le rêveur ou l'émotif. Mais si, malgré ses efforts et sa créativité, le rêveur n'arrive pas à capter l'attention de l'actif, il finit par abandonner. Ce qui est une grande perte pour le couple, dont plusieurs ne survivent pas. La capacité d'émerveillement du rêveur est essentielle à la vie du couple. Perdre cette capacité, c'est perdre de la profondeur dans la relation. On n'accède plus à l'intimité du couple, car on n'est plus que dans l'action et l'intendance. Il faut que celui qui en a la capacité entraîne l'autre dans son émerveillement. Prendre son après-midi pour aller patiner sur la montagne, c'est le genre d'escapade que les jeunes couples font souvent en oubliant le travail, les responsabilités pour quelques heures. On fait une folie, comme on dit. Évidemment, ces écarts finissent par s'espacer et on redevient très fonctionnel, mais si on n'a plus cette capacité à s'émerveiller, on n'a plus cette vulnérabilité, cette ouverture qui permet de rencontrer l'autre en profondeur. Là se trouve l'intensité de la relation.

Rêveurs, émotifs et fusionnels,
VOUS ÊTES ESSENTIELS !
Sans vous, le couple n'existe pas.
Soyez fiers et contagieux !
EXPRIMEZ-VOUS CLAIREMENT !

Respecter les différences de l'autre

Il s'agit du défi le plus important de l'amour durable. Et pour ça, il n'y a pas d'autre truc que l'ouverture et l'acceptation. Accepter de lâcher prise sur des façons de faire, sur des idées reçues depuis toujours et avoir confiance que l'autre fait aussi bien à sa façon, dans sa vie. Regarder, voir, apprendre, accepter de se remettre en question, c'est tout cela, respecter la différence.

La grille d'analyse que proposent les cinq dualités offre un outil intéressant pour explorer ces différences, mieux les comprendre et peut-être adopter de nouvelles attitudes. C'est aussi cela, respecter la différence ; c'est enrichir son existence et son bagage humain.

Combien de couples, pourtant très amoureux, n'ont pas survécu, faute d'avoir trouvé une manière de composer avec leurs différences et se sont déclarés incompatibles ? Les différences, même si elles peuvent parfois produire des chocs, ne doivent pas être considérées comme des agacements ou des incompatibilités.

Prenons un exemple bien concret. Dans un couple où la dualité actif-rêveur est particulièrement forte, l'un fait les choses concrètement sans se poser trop de questions alors que l'autre tend à se projeter et à vouloir réaliser sa vie rêvée. Les difficultés viennent toujours de l'affrontement entre ces deux aspects. À la perspective d'une virée au chalet, l'hiver, le rêveur, plein d'enthousiasme et d'attentes, imagine déjà faire un bon feu, se blottir l'un contre l'autre et profiter ensemble du moment, mais sans pour autant l'exprimer clairement. De son côté, l'actif ne voit que l'épaisseur de la neige sur le toit et la nécessité d'aller pelleter. C'est de cette opposition dans la perception même de la réalité, de l'importance que chacun accorde aux choses, aux différences de priorités, que naissent les incompréhensions, les conflits et les difficultés.

C'est pourquoi l'attention et l'intérêt que se portent mutuellement les partenaires au début et tout au long de la relation est LE facteur déterminant de la santé et de la longévité du couple. Accepter d'entrer en contact avec sa propre profondeur, se rendre disponible émotivement à l'autre, accepter la différence et surtout choisir de s'investir dans l'échange constituent les façons d'être présent à l'autre.

Accepter que l'amour m'oblige à relever des défis

Je n'aime pas le mot « travail », mais soyons francs, il faut s'investir dans une relation. Ce n'est pas toujours facile pour le vite de négocier avec le rythme du lent, mais il y a probablement beaucoup à apprendre pour lui.

On met beaucoup l'accent sur les compatibilités, les intérêts communs, les ressemblances, et avec raison, mais les différences, les divergences, les désaccords sont aussi extrêmement riches. Peut-être plus difficiles à vivre, mais qui a dit que ça devait toujours être facile ? Et si c'est le cas, où sont le défi, l'apprentissage ? La richesse réside dans l'art de conjuguer les différences, les points de vue, d'intégrer une autre façon de penser, de réfléchir et de faire. C'est une question d'ouverture.

Avec un tant soit peu d'efforts, on a tout à apprendre. S'il n'y a pas d'abus ni de violence, et si l'amour est présent, il n'y a pas de raison pour que ça ne fonctionne pas. Bien sûr, il doit y avoir un minimum d'attrait physique, émotif et intellectuel entre deux personnes pour former un couple, mais ce n'est pas nécessaire que ce soit le coup de foudre qui rase tout sur son passage.

À titre de comparaison, imaginons des parents, qui aiment leurs enfants d'un amour inconditionnel, ce qui est difficile à comprendre pour qui n'a pas d'enfants. Cet être humain qui leur a été confié, ils ont appris à le découvrir et à le connaître en profondeur dès le début de sa vie. C'est ça, être parent.

C'est ce qu'il faut apprendre à faire plus tard comme adulte amoureux. Après dix ans d'une relation, on en vient à connaître l'autre, son caractère et toutes les petites ramifications de sa personnalité, son évolution, ses coups durs, ses fiertés... Bref tout ce qui fait son attrait à nos yeux. Mais encore faut-il se donner la peine – et surtout le plaisir – de se regarder avec bienveillance, ouverture et respect.

Je n'ai pas la prétention de redéfinir l'amour, mais j'aime croire que sa plus belle manifestation est celle de l'union. Pas juste devant l'autel, mais plutôt l'union de nos forces, de nos faiblesses et de nos différences. On regarde dans la même direction en faisant chacun notre bout de chemin vers l'autre. Parler moins, ressentir plus, ralentir, s'émerveiller, s'activer, réfléchir et surtout accepter que la relation amoureuse implique du temps, de l'énergie et des efforts, comme tout ce qui nous intéresse. Quand je tente de comprendre l'autre comme il me comprend, que j'essaie d'aller le rejoindre dans son monde intérieur, j'apprends à faire un avec l'autre. Je m'ouvre à la richesse de l'intimité d'une relation. Je peux en faire une histoire vraie et durable.

Dans le respect de l'autonomie de chacun, l'amour, c'est faire un.

Qui a dit que ça devait
toujours être facile ?
Et si c'est le cas,
où sont le défi,
l'apprentissage ?

Références

John Bradshaw

Auteur de plusieurs best-sellers, il a aussi œuvré en tant que psychothérapeute, théologien, conseiller en gestion et conférencier. Il s'est particulièrement intéressé au phénomène de la toxicomanie, du rétablissement et de la codépendance.

Quelques publications :
Retrouver l'enfant en soi, Éditions de l'Homme, rééd. 2013.
Le Syndrome post-romantique, Éditions de l'Homme, 2016.

Pour en savoir davantage, consultez son site : johnbradshaw.com.

Dre Nathalie Campeau

La docteure Nathalie Campeau a développé une expertise dans les domaines de la toxicomanie et des dépendances. En côtoyant les familles, elle s'est passionnée pour les relations familiales et de couple. En 1987, elle a fondé le mouvement Dépendants Affectifs Anonymes.

Pour vous procurer son livre, *L'Énergie du Cœur,* consultez son site : drcampeau.com.

Terence T. Gorski

Éducateur et consultant spécialisé dans la prévention de la dépendance et de ses multiples expressions, dont la dépendance affective et sexuelle et les relations toxiques, il est l'auteur de nombreux ouvrages et articles.

Pour en savoir davantage, consultez son blogue ://terrygorski.com.

Abraham Maslow

Psychologue américain considéré comme le père de l'approche humaniste. Il est connu pour son explication de la motivation par la hiérarchie des besoins, souvent représentée sous la forme d'une pyramide.

Pour en savoir davantage, consultez la page qui lui est consacrée sur Wikipédia.

Colette Portelance

Thérapeute en relation d'aide[MD], Colette Portelance détient un doctorat en sciences de l'éducation de l'Université de Montréal et de l'Université de Paris. Cette pédagogue spécialiste de la communication et des relations humaines a collaboré à la création du Centre de relation d'aide de Montréal. On lui doit également l'élaboration de l'approche non directive créatrice (ANDC). Elle est l'auteure d'une dizaine d'ouvrages.

Quelques publications :
Relation d'aide et amour de soi, Éditions du CRAM, 2015.
De quel système relationnel êtes-vous prisonnier ?,
Éditions du CRAM, 2015.
La communication authentique, Éditions du CRAM, 2015.

Voir aussi le site du Centre de relation d'aide de Montréal : cramformation.com.

Claire Reid

Auteure, conférencière et sexologue, Claire Reid a enseigné à l'Université du Québec à Montréal (UQÀM) pendant treize ans. Diplômée en pédagogie et animation sociale, elle s'est intéressée à la profonde mutation qui affecte le couple contemporain.

Publications :

L'approche du cœur conscient, Jouvence, 2014.

Couple et cœur conscient, Édition Louise Courteau, 2006.

Êtes-vous fusionnel ou solitaire ?, Édition Louise Courteau, 2003.

Pour en savoir davantage, consultez son site : claire-reid.com.

Autres auteurs cités

Melody Beattie

The New Codependency, Simon & Schuster, 2009.

Codependent No More, Hazelden, 1986.

Danielle Champagne

« Chercher l'équilibre entre la passion et la tendresse infinie : un défi pour la personne dépendante affective », Université de Sherbrooke, février 1999.

Pia Mellody

Pia Mellody, Andrea Wells Miller, J. Keith Miller, *Facing Codependence : What It Is, Where It Comes from, How It Sabotages Our Lives*, Harper, 2003.

Breaking Free : A Recovery Handbook for « Facing Codependence », Harper, 1989.

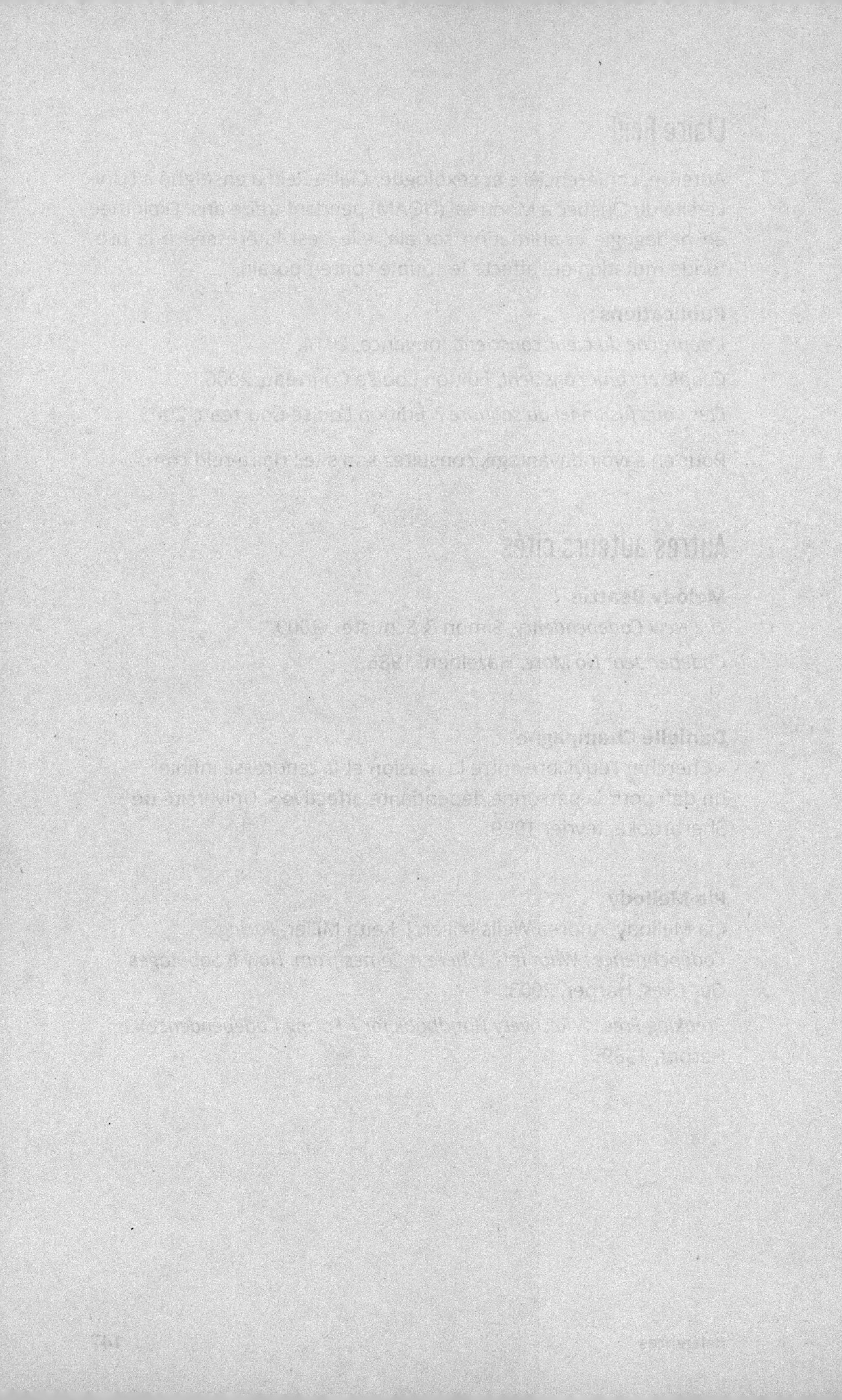

Remerciements

Merci, Anne, pour ta vision et ta confiance en moi depuis toujours.

Merci, François, de ta collaboration inestimable, ton don et ta patience pour mettre en mots ce que je verbalise si librement !

Merci, Pascale, pour ton regard extérieur bienveillant.

Merci aux générations passées, présentes et futures de m'accorder le privilège de vous accompagner et de contribuer à donner vie à toutes ces notions.

Merci à mon Amour qui me confirme au quotidien que ces dualités sont viables, amusantes et tellement enrichissantes !!

Table des matières

Suivez-nous sur le Web

Consultez nos sites Internet et inscrivez-vous à l'infolettre pour rester informé en tout temps de nos publications et de nos concours en ligne. Et croisez aussi vos auteurs préférés et notre équipe sur nos blogues !